Bärbel Wardetzki

No te lo tomes de forma personal

Superar con serenidad las ofensas y las humillaciones

D0126618

URANO

Argentina - Chile - Colombia - España
Estados Unidos - México - Perú - Uruguay - Venezuela

Título original: *Nimm's bitte nicht persönlich – Der gelassene Umgang mit Kränkungen*
Editor original: Kösel-Verlag, Múnich
Traducción: Juan José del Solar Bardelli

1.ª edición Febrero 2013

Copyright © 2011 by Kösel-Verlag, A division of Verlagsgruppe Random House GmbH, München, Germany www.koesel.de
Los derechos de publicación de esta obra fueron negociados por intermedio de Ute Körner Literary Agent, S.L., Barcelona - www.uklitag.com
All Rights Reserved
© 2013 de la traducción *by* Juan José del Solar Bardelli
© 2013 *by* Ediciones Urano, S. A.
Aribau, 142, pral. – 08036 Barcelona
www.edicionesurano.com

ISBN: 978-84-7953-841-5
E-ISBN: 978-84-9944-479-6
Depósito legal: B-261-2013

Fotocomposición: Montserrat Gómez Lao
Impreso por: Rodesa, S. A. – Polígono Industrial San Miguel
Parcelas E7-E8 – 31132 Villatuerta (Navarra)

Impreso en España – *Printed in Spain*

Índice

Introducción

Este libro ofrece una orientación rápida sobre cómo enfrentar más sosegadamente las ofensas. Con ayuda de ejemplos concretos se presentan una serie de temas y situaciones esenciales relacionados con ofensas que pueden conducir, en la vida cotidiana, a momentos de tensión o incluso a discusiones que generan actos violentos. Por eso es tan importante reconocer y comprender esta dinámica, para encontrar soluciones constructivas. Cuanto más sepamos qué nos ofende, qué heridas antiguas son abiertas por otras actuales y qué posibilidades tenemos de protegerlas o curarlas, menos tendremos que padecer por sentimientos relacionados con ofensas. Pues, por lo general, los sentimientos relacionados con las ofensas, como el sentirse ofendido, la obstinación, la indignación, la ira destructiva y la desesperación, no hacen sino agudizar el conflicto, conduciendo a la ruptura de la relación, a la soledad y al desasosiego, pero no a una solución.

El libro está dividido en cuatro partes: la primera explica qué son las ofensas. En la segunda se aborda la situación del ofendido: qué siente, cómo reacciona, qué puede hacer en su situación actual. En la tercera parte describo cómo acontecen las ofensas desde la perspectiva de quienes han ofendido a otros o por los que otros se sienten ofendidos: qué nos induce a devaluar a otras personas, cómo caemos en las trampas de las ofensas y cómo volvemos a salir de ellas. La cuarta parte ofrece soluciones para enfrentarse más sosegadamente a las ofensas. Resume todos los pasos importantes que son necesarios para poner fin a los conflictos causados por ofensas o para simplemente no dejarlos surgir.

Quisiera dar las gracias aquí a mi editora Dagmar Olzog, con quien la colaboración ha resultado tan fácil y constructiva, guiada por la responsabilidad mutua y, por consiguiente, fabulosamente libre de ofensas.

Deseo que muchas lectoras y lectores encuentren en este libro una ayuda eficaz para resolver sus conflictos concretos relacionados con las ofensas y puedan aplicar con éxito los consejos y sugerencias.

Al final del libro encontrará un pequeño test que le permitirá determinar cuál es su tipo de relación con las ofensas.

De nosotros dependerá si reaccionamos como ofendidos, o bien resolvemos un problema con ánimo constructivo y sin romper la relación.

¿QUÉ ES UNA OFENSA?

En el círculo vicioso de las ofensas

¿Qué ocurre con las ofensas?

Cuanto más tiempo me ocupo de todo lo relacionado con las ofensas, más clara tengo su importancia amplia y a menudo también fatal para nuestra vida. Lo queramos o no, de manera consciente o inconsciente, ofendemos a otras personas y somos una y otra vez ofendidos.

La dinámica de las ofensas recorre todos los ámbitos de la vida. Afecta a nuestras relaciones amistosas y amorosas, a nuestra situación profesional, a las desigualdades sociales y las discusiones sobre política mundial, así como a nuestro bienestar personal. Dondequiera que surjan malentendidos, conflictos, pesares, odios, violencia y desavenencias, podemos estar seguros de que detrás hay conflictos no resueltos relacionados con ofensas que se oponen a una solución constructiva.

Las ofensas mutuas y el sentirse ofendidos pueden tener consecuencias devastadoras. En el peor de los casos conducen a guerras y asesinatos, con frecuencia a la ruptura de una relación seguida de ideas de venganza y destrucción. Interiormente somos impulsados por el odio y la rabia contra el oponente, por la intransigencia, la amargura y el rechazo. Nos irritamos cuando alguien se atreve a proceder de manera tan ofensiva con nosotros. ¿No sabe acaso nuestro oponente a quién tiene delante?

¿Qué nos queda por hacer? Una posibilidad es contraatacar verbal o físicamente. Pero con la violencia no podemos liberarnos de nuestra indefensión e impotencia, ni tampoco del dolor producto del desdén, la humillación y el menosprecio experimentados. A menudo somos tanto más violentos cuanto más impotentes nos sentimos. La satisfacción de ver a nuestro oponente aniquilado, tumbado por un golpe en el suelo o al menos tan herido como lo fuimos nosotros no resuelve el problema de fondo ni cura nuestras heridas. Pero tampoco las curaremos si nos retiramos deprimidos, enterrándonos en nuestro pesar y definiéndonos como personas de menor valía, malas, perdidas y dignas de rechazo.

Si no hacemos nada aparte de lamernos nuestras heridas y derretirnos en la autocompasión, tampoco cambiaremos absolutamente nada, porque al final esta actitud acaba generando otra vez sentimientos de odio e ideas de venganza contra quienes nos ofendieron. No hacemos las paces con los demás ni tampoco con nosotros. Y la discordia lleva automáticamente al conflicto siguiente y a la próxima situación en la que se producen ofensas. Pues si no hacemos las paces con nosotros y con los demás, prolongamos el rechazo y la agresión y cosechamos forzosamente lo mismo. Un círculo vicioso que puede terminar en una espiral de violencia.

Un conflicto de relación actual es a menudo el resultado de una larga cadena de ofensas mutuas que se van acumulando, por ejemplo, en el curso de una relación de pareja o conyugal y terminan con separación o divorcio. A menudo la ofensa central ha quedado muy atrás en el tiempo. Los ejemplos son múltiples:

Su pareja nunca la había cortejado expresamente, algo que ella no ha logrado superar hasta hoy. Ella nunca ha querido tener hijos con él, que interpretaba esto como un menosprecio a su persona. Él tenía relaciones extramatrimoniales y hería así la confianza de ella, que se iba sola de vacaciones cuando él atravesaba alguna crisis profesional, con lo cual él sentía que lo abandonaba. Cuando éstas y otras ofensas no se comentan ni se comunican sus consecuencias emocionales, el conflicto puede llevar a la separación o al uso de la violencia contra la pareja femenina o masculina. No en vano, en Alemania, la tasa de asesinatos de cónyuges que quieren separarse es de cerca de 250 casos por año.*

Por eso es tan importante comprender mejor la dinámica de la ofensa. Cuando nos percatamos de qué procesos tienen lugar dentro de nosotros mismos y de qué incita a nuestro oponente a ofendernos, estamos creando los presupuestos para resolver este conflicto o, al menos, para debilitarlo.

* Según datos del Instituto de Investigación Criminológica en 1999.

En el círculo vicioso de la ofensa

» La dinámica de las ofensas recorre todos los ámbitos de la vida: nuestro bienestar personal, nuestras relaciones amistosas y amorosas, nuestra situación profesional, las desigualdades sociales y las discusiones sobre política mundial.

» Las ofensas poseen una importancia muy grande, y a menudo también fatal para nuestra vida, porque pueden tener consecuencias devastadoras. En el peor de los casos conducen a guerras y asesinatos, y con frecuencia a la ruptura de una relación seguida por ideas de venganza y destrucción.

» Pero ni la venganza destructora contra nuestro «enemigo», ni el repliegue depresivo en la autocompasión resuelven el conflicto de la ofensa, porque en ambos casos no hacemos las paces con nosotros ni con los demás. Y la discordia lleva irremediablemente al próximo conflicto y, con él, a la siguiente situación de ofensa.

» Si la ofensa padecida no se resuelve, podemos caer en un círculo vicioso de violencia.

La ofensa tiene un doble significado

Cuando hablamos de la ofensa, nunca diferenciamos entre la ofensa padecida, la que experimenta la gente, y la ofensa inferida, la que se hace a los demás. Puede que resulte ocioso establecer una diferencia semejante, pero en mi trabajo siento cada vez más desasosiego cuando se utiliza el mismo concepto para designar cosas diferentes. Por eso propongo hablar de reacción a la ofensa y actuación que infiere la ofensa, o bien de ofensa padecida y ofensa inferida.

La reacción a la ofensa, o sea la ofensa padecida, es aquello que experimenta la gente cuando se siente rechazada, excluida o despreciada. Engloba todos los procesos emocionales, tanto físicos como psíquicos, que tienen lugar en una persona como reacción a una ofensa que recibe.

La actuación que infiere la ofensa o el hecho de la ofensa es, en cambio, la ofensa inferida, o sea aquella por la cual otros se sienten heridos. Puede ser una crítica, una palabra inoportuna dicha en un mal momento, una invitación no cursada o el verse abandonado por una persona querida hasta entonces. Pero también la humillación, la discriminación, el menosprecio. El rechazo o la exclusión son asimismo actuaciones que generan ofensas. Podría ampliar al infinito la lista de los casos, pues en el fondo casi todo puede ser vivido como ofensa, porque cada cual puede sentirse ofendido por otros sucesos. Por consiguiente, una ofensa en el sentido de actuación que infiere la ofensa no es algo objetivo: no podemos decir, por ejemplo, que un rechazo desencadena automáticamente una reacción a la ofensa en el oponente. Lo hace solamente cuando el otro se siente menospreciado y disminuido en su autoestima.

Supongamos que una crítica nos ha ofendido. El trabajo que presentamos al jefe después de haberlo realizado con gran esmero y muchos esfuerzos, es examinado y comentado con las palabras: «¿Y no se le ocurrió nada mejor?» Esta observación provoca al instante una reacción a la ofensa, cuando nos sentimos menospreciados y creemos haber fracasado. En este caso nosotros mismos rechazamos nuestro producto, nos reprochamos falta de creatividad y posiblemente nos ponemos por completo en tela de juicio. En el peor de los casos pensamos que no somos idóneos para hacer ese trabajo, independientemente de los éxitos anteriores.

Que la crítica se convierta para nosotros en una ofensa padecida, dependerá por un lado de cómo la elaboremos y, por otro, de su forma. Si, por ejemplo, nuestro trabajo es juzgado tanto por sus puntos fuertes como por los débiles, tal vez no nos sintamos tan ofendidos, o en todo caso menos que si es rechazado en su totalidad. Pero incluso entonces no debemos reaccionar como ofendidos. Pues si estamos convencidos de la buena calidad de nuestro trabajo, no aceptaremos la devaluación.

La ofensa
tiene un doble significado

» La ofensa padecida o la reacción a la ofensa es aquello que la gente experimenta cuando se siente ofendida.

» La ofensa inferida o la actuación que infiere la ofensa es aquello que la gente hace y por lo cual otros se sienten ofendidos.

» La actuación que infiere la ofensa no es algo objetivo: que sea vivida como ofensa dependerá, entre otras cosas, de que el oponente se sienta herido o menospreciado.

» En el fondo, casi todo puede ser vivido como ofensa, pues cada cual es susceptible de ofenderse por otros hechos.

Nosotros decidimos qué nos ofende

El hecho de que podamos ofendernos por casi todo nos lleva a interrogarnos sobre nuestra responsabilidad personal. Pues el hecho de que nos sintamos ofendidos no tiene que ver más con nosotros que con la ofensa en sí. ¿Qué significa esto? Que no estamos a merced de las ofensas, indefensos, sino que las configuramos activamente al interpretar ciertos hechos o reacciones de otros como menosprecio personal. Los hechos se convierten en rechazo cuando el ofendido los vive como algo dirigido contra él y como disminución de su autoestima. Esto ya quedó claro en el ejemplo de la crítica hecha por el jefe.

Los factores desencadenantes de la ofensa no tienen por qué sucederse de forma intencionada, como si alguien intentara herirnos conscientemente. También puede tratarse de gestos o comentarios hechos sin intención, que no están en absoluto referidos a nosotros. O bien pueden ser pequeñeces que afectan nuestra alma.

De esta manera, cualquier reacción del mundo circundante puede desencadenar reacciones a la ofensa. Esto no vuelve la situación más sencilla, pero muestra claramente cuánta responsabilidad tiene el ofendido. En muchos casos puede elegir entre aceptar o rechazar el menosprecio.

En los casos de ofensas no intencionadas en las que el ofendido comprende mal las señales o las interpreta erróneamente como dirigidas contra él, resulta más fácil hablar de la responsabilidad del ofendido. Esto es algo más difícil en casos de ataques evidentes, menosprecios, insultos y críticas. Aunque también en estos casos funciona el mismo mecanismo: en qué medida alguien se sienta ofendido dependerá de la importancia que le atribuya al hecho, y ésta a su vez dependerá de su seguridad interior y de sus experiencias anteriores.

Por eso un rechazo significa para algunos una ofensa personal, mientras que para otros es únicamente un acontecimiento lamentable. La importancia de un rechazo también puede variar en una persona según qué importancia tenga el acontecimiento. Por eso un rechazo puede ser vivido una primera vez como una ofensa, una segunda vez como algo sólo lamentable, y una tercera vez como algo que deja indiferente a quien lo vive.

Desde esta perspectiva, la susceptibilidad a la ofensa significa tomarse muchos sucesos de forma personal, relacionarlos con uno mismo y atribuirles una connotación de menosprecio. Si el afectado no se siente aludido por ellos, atribuirá la responsabilidad al ofensor y no buscará en sí mismo los motivos del rechazo.

Por eso debemos ir con cuidado al afirmar: «Tú me has ofendido». Pues en el fondo esta afirmación no significa sino que alguien se siente menospreciado por el comportamiento de otra persona, y herido en su autoestima. Por eso sería más correcto decir: «Me siento ofendido por lo que has hecho». Así asumimos la responsabilidad de nuestra experiencia y evitamos al mismo tiempo hacer imputaciones y reproches falsos a los demás. Pues éstas solamente agudizan el conflicto, pero no solucionan nada, y menos aún contribuyen a mejorar nuestro estado anímico.

Un fragmento de una entrevista con el actor negro Morgan Freeman, que leí en el suplemento del periódico *Süddeutsche Zeitung* ilustra lo que quiero decir:

E: entrevistadora; F: Freeman:
E: *¿Qué pasaría si yo le llamo «negro»?*
F: *Nada.*
E: *¿Por qué no?*
F: *¿Qué pasaría si yo la llamo «vaca tonta alemana»?*
E: *Nada.*

F: ¿Y por qué no?

E: Porque no me siento aludida.

F: Pues ya lo ve, yo tampoco.

E. ¿Es ése el truco?, ¿no sentirse aludido?

F: Si usted me llama «negro», tendrá un problema usted, no
yo, pues usted utiliza la palabra errónea. Al no sentirme yo
aludido, la dejo a usted sola con su problema. Por supuesto
que esta táctica no valdría si usted me atacara físicamente.
En ese caso me defendería, se lo aseguro.

En este ejemplo no me interesa el contenido político, ni la problemática de la gente con otro color de piel, ni de los extranjeros, ni de la xenofobia. Todos estos temas no se discutirán aquí. Con este fragmento de la entrevista sólo quisiera aclararles qué posibilidades de elegir tenemos para abordar situaciones de ofensas. Pues en muchos casos tenemos la libertad de decidir entre aceptar un menosprecio o devolverlo a quien lo infirió. No estamos obligados a aceptar algo que no es de nuestra incumbencia. Por consiguiente, nosotros mismos decidimos qué es para nosotros una ofensa.

Podemos impedir una reacción a la ofensa no
sintiéndonos aludidos por el comentario de otra persona.

Su responsabilidad por la ofensa significa:

» Cada reacción del mundo circundante puede desencadenar en usted reacciones a la ofensa.

» El hecho de que se sienta ofendido tiene más que ver con usted mismo que con la ofensa en sí.

» Usted no queda a merced de las ofensas, indefenso, sino que las configura activamente en la medida en que interpreta hechos o reacciones de otros como menosprecio a su persona.

» En qué medida se sienta ofendido dependerá de la importancia que atribuya al suceso, y ésta dependerá a su vez de su seguridad interior, de sus necesidades y de experiencias anteriores.

» Debería sustituir la frase «Tú me has ofendido» por «Me siento ofendido por lo que has hecho». Así asume usted la responsabilidad de su experiencia y evita reproches e imputaciones.

La autoestima debilitada

Lo esencial en el conflicto de la ofensa es el ataque a la autoestima y su debilitamiento. De esta manera, las reacciones a la ofensa y la autoestima están directamente unidas entre sí e incluso se condicionan parcialmente. Eso se advierte ya, en alemán, en el origen de la palabra *Kränkung* («ofensa»), que proviene del verbo *krenken*, que en alemán medio alto significaba «debilitar, disminuir, perjudicar, aniquilar, torturar y rebajar».

Una segunda raíz es la palabra *kranc*, que significaba «estrecho, escaso y débil». En la ofensa nos sentimos debilitados, escasos, rebajados.

Hay dos aspectos que se deben tener en cuenta en la relación entre ofensa y autoestima:

1. Las ofensas debilitan nuestra autoestima y van unidas a dudas sobre nosotros mismos, a una inseguridad sobre nuestra persona y nuestro sentimiento de identidad. Debilitante es aquí la sensación de ser tomado muy poco en serio, de valer poco, estar en desventaja y por eso ser menos querido. El odio, la envidia, la indignación y el dolor tienen siempre, como telón de fondo, el temor a ser peores, menos valiosos e importantes que otros. Si no estamos en la primera fila y no somos considerados, vistos ni escuchados, reaccionaremos como personas ofendidas.

2. Las personas muy susceptibles de ofenderse, que en el lenguaje cotidiano designamos como mimosas o personas de gran susceptibilidad, son a menudo personas que poseen una autoestima inestable. Se ofenden rápidamente y al menor motivo se retiran y ya no se puede hablar con ellas. En parte son incluso ofendidos crónicos. Tan sólo por una entonación inapropiada en la voz, una pala-

bra brusca o una ceja enarcada pueden sentirse masiva-
mente heridos en su autoestima. El oponente a veces no
sabe muy bien qué ocurre, pero siente que de algún modo
ha herido a esa persona. En relaciones de pareja, amistad,
vecindario o laborales tal vez haya usted tenido ya la sensación de haber hecho un comentario inadecuado o no
haber hecho algo y de que el otro se ofende, se aleja y
pone fin al contacto.

Una persona con una autoestima estable, a la que calificaría-
mos como tal, no reaccionará, en cambio, ofendiéndose tan rápidamente. Pues no percibirá con tanta susceptibilidad los mensajes negativos de su oponente y, por otro lado, tampoco los
tomará enseguida de forma personal ni será víctima de la inseguridad en la misma medida. El trato con una de esas personas
es, sin duda, más simple, y no tendremos que poner tanta atención en no decir ni hacer algo inadecuado.

> *Toda persona es susceptible de ofenderse, aunque en*
> *distinta medida.*

Las ofensas forman parte de la vida, como también el ataque
a nuestra autoestima constituye una parte de nuestra vida cotidiana. Somos criticados, rechazados, excluidos y abandonados.
Pero también somos amados, alabados y aceptados. Aunque no
siempre.

> *Nadie se salva de enfrentarse a algún rechazo.*

Las ofensas debilitan la autoestima

» Lo esencial en el conflicto de la ofensa es el ataque a la autoestima y su debilitamiento.

» En la ofensa la gente se siente debilitada, rebajada, menospreciada.

» Las personas que tienen una autoestima débil reaccionan con más susceptibilidad ante las ofensas. A menudo tienen un comportamiento hipersensible.

» Quienes tienen una autoestima estable no se ofenden tan fácilmente, pues no se toman enseguida de forma personal los mensajes negativos.

» Toda persona es susceptible de ofenderse, aunque en diferente medida.

Cuando el reconocimiento y las necesidades se toman muy poco en serio

En las situaciones de ofensa, la no satisfacción de las necesidades narcisistas desempeña un papel esencial. Se trata de necesidades que se relacionan directamente con la autoestima: ser visto, escuchado, reconocido y comprendido y obtener respuestas. La satisfacción de las necesidades de ser respetado, valorado, querido e involucrado afianza nuestra autoestima y por ello son llamadas narcisistas. En este contexto, narcisista significa «concerniente a la autoestima» y no debe confundirse con el trastorno narcisista.

Queremos ser queridos, respetados y aceptados por lo que somos nosotros mismos. Necesitamos tener cierta importancia para otros y desempeñar algún papel en sus vidas, a veces incluso el papel principal. En las situaciones de ofensa, estos deseos permanecen insatisfechos, lo que vivimos como un menosprecio de nuestra persona.

Por eso quienes nacen con una autoestima débil reaccionan más rápidamente a las ofensas. Como son impulsadas por profundas dudas sobre sí mismas, buscan la reafirmación de su persona en el exterior, en el reconocimiento de otros. Cuando éste no tiene lugar, ven reafirmada la visión negativa que tienen de sí mismas y ello les conduce a una nueva crisis de la autoestima.

Esta imagen negativa de sí mismas hace que se sientan más fácilmente excluidas, ignoradas y poco importantes. Lamentablemente, esta constelación contribuye a que no puedan aceptar debidamente el interés positivo, el elogio y el reconocimiento. Por eso necesitan el apoyo narcisista más que la gente con una autoestima estable, pues estas personas pueden, en tiempos de necesidad, procurarse ellas mismas apoyo y aliento.

Este mecanismo también se observa en personas depresivas, y en muchos casos no puede cambiarse sin una psicoterapia.

También vivimos ofensas cuando no se satisfacen ciertas necesidades tan importantes para nosotros en el momento actual que ponemos en juego nuestra autoestima para que se satisfagan. Si podemos identificar la necesidad y sentir qué nos falta, habremos dado un gran paso adelante. Entonces podemos pedir lo que necesitamos, en vez de ofendernos. De este modo tenemos la oportunidad de «sentirnos satisfechos».

Un ejemplo: se ha comprado un vestido nuevo con el que quiere sorprender a su pareja, pero él no lo advierte y tampoco se expresa en términos positivos sobre su aspecto. Su necesidad de ser advertida y gustarle no es satisfecha, algo que la hiere particularmente porque usted siente que hace ya tiempo que su pareja no se fija en su persona y no es suficientemente amada. En esas condiciones puede producirse una pelea si usted le reprocha ignorancia y él se defiende a voz en cuello diciendo que con todo lo que tiene que hacer no puede hacerle un comentario sobre cada vestido nuevo. Pero como lo que le importa a usted no es el vestido nuevo, sino su propia persona, se siente rechazada y ofendida. Se aparta muy enfadada y sale dando un portazo.

Más constructivo y orientado a una solución sería, en cambio, que usted tuviera claro y le explicara luego a su pareja qué le importa realmente. Para eso es necesario conocer sus necesidades. En realidad, usted desea más atención, reconocimiento y contacto con su cónyuge. El guiño con el vestido nuevo es demasiado indirecto. Mejor dígale abiertamente qué le hace falta. Así tendrá una oportunidad mayor de conseguir lo que desea y también se enterará posiblemente de lo que le hace falta a su pareja.

Si nuestras necesidades quedan insatisfechas, a menudo acabamos recalando en las ofensas

» Sobre todo las necesidades narcisistas, directamente relacionadas con su autoestima, quedan insatisfechas en situaciones de ofensa.

» No se siente vista ni escuchada, no es suficientemente tomada en serio, no obtiene respuestas, no es respetada y recibe muy poco reconocimiento, elogio y corroboración.

» Si en la valoración de su persona depende mucho del reconocimiento exterior, cuando éste no se produce se ofenderá más rápidamente.

» Pondrá fin a las reacciones de ofensa si tiene claro cuáles son sus necesidades insatisfechas y busca activamente lo que pueda «satisfacerlas».

Mejor enfurecernos que sentir cuánto daño hace la ofensa

Las reacciones de ofensa van unidas a sentimientos de impotencia, ira, desprecio, desilusión y obstinación. Pero éstos no son sentimientos auténticos, sino que pueden comprenderse más bien como estados de ánimo. Los sentimientos auténticos, vitales, que se desencadenan en situaciones de ofensa son sobre todo el dolor, la ira, la vergüenza y el miedo. Y estos sentimientos apenas se perciben en la ofensa padecida, o no se perciben en absoluto, y menos aún se expresan.

Nuestra reacción a la ofensa nos ayuda a neutralizar al máximo estos sentimientos. Pero en vez de eso nos enredamos en la irritación, las acusaciones contra nosotros mismos u otros, y la ira de la ofensa, a menudo unida a ideas de venganza. La ira de la ofensa y el desprecio son en cierto modo reacciones protectoras contra el dolor de la herida, contra el miedo y la vergüenza. La ira y el desprecio tienen por objetivo terminar y neutralizar la ofensa dolorosa. Es mejor enfurecernos que sentir cuánto daño hace. De este modo la reacción a la ofensa se halla al servicio del rechazo del miedo, la vergüenza, el dolor y de un enfado constructivo, distinto del odio y la ira destructivas en la ofensa. La ira constructiva quiere proteger, poner límites y conservar la relación. Mientras que la ira destructiva quiere destruir sistemáticamente al otro y la relación, y a menudo incluso a sí misma. No apunta a una solución, sino a la destrucción.

Pero si toleramos los sentimientos auténticos en una situación de ofensa, estaremos tristes y adoloridos, tendremos miedo, nos avergonzaremos de eventuales errores o nos enfadaremos. Pero no estaremos ofendidos, no seremos destructivos, no nos alejaremos ofendidos ni permaneceremos impotentes. Estaremos en contacto con nosotros y nuestros sentimientos, y así seremos capaces de actuar. Pues podremos buscar consuelo en el dolor, y apoyo y consejo en el miedo, hablar sobre nuestros sentimientos de vergüenza y manifestar nuestra ira sin destruir la relación.

Cómo discurren las ofensas

La ofensa surge de

↓

la herida por rechazo y menosprecio

↓

la ofensa produce dolor, vergüenza, miedo e ira

↓

estos sentimientos son rechazados ampliamente

↓

se experimentan ira destructiva, desprecio, impotencia, desilusión y obstinación.

↓

Las reacciones ante la ofensa son venganza, violencia contra sí y otros, ruptura de la relación.

Ojalá que esto acabe bien

La reacción a una ofensa es muy parecida a una reacción de miedo. Cuando estamos ofendidos, nos asustamos, contenemos el aliento, el cuerpo se nos pone rígido y ya no podemos pensar claramente. Ésta es la razón por la que a menudo sólo se nos ocurren mucho más tarde las mejores respuestas a los comentarios despectivos o las impertinencias de otros. En la situación real estamos tan concentrados en mantener el control sobre nosotros y la situación que apenas podemos reaccionar con la suficiente destreza. En general, lo conseguimos sólo cuando no nos afecta demasiado emocionalmente.

La descripción subjetiva de las reacciones corporales y emocionales van desde la taquicardia, pasando por una sensación de debilidad en las piernas, enmudecimiento, sensaciones de frío, estrechez en el tórax, pánico y resignación, hasta la impotencia. Los auténticos sentimientos como el miedo, la ira, el dolor y la vergüenza no los percibimos, o lo hacemos sólo en sus inicios, nos retiramos en nosotros mismos o intentamos una liberación. Si a la larga no logramos disolver la rigidez en nosotros y seguimos expuestos a otras situaciones de ofensa, eso puede llevarnos a tener problemas corporales, como tensiones musculares crónicas, dificultades respiratorias, enfermedades de la vesícula y muchas cosas más.

Un ejemplo de la relación existente entre enfermedad y ofensa nos lo da la historia «Nuestro mejor profesor» de Bertolt Brecht, tomada del libro de Kurt Singer (*Kränkung und Kranksein* [Ofensa y enfermedad]), que a continuación reproducimos en una versión abreviada:

«Nuestro mejor profesor era un hombre alto, asombrosamente feo, que en su juventud, según decían, había aspirado a ser catedrático, pero sin conseguirlo. Esta desilusión hizo que desarrollara al máximo todas las fuerzas que dormían en él. Le gustaba someternos a un examen sin haberlo preparado, y lanzaba grititos de placer cuando no sabíamos ninguna respuesta. Su tarea consistía en hacer de nosotros hombres, cosa que no hacía bien. Con él no aprendíamos química, pero sí cómo hay que vengarse.

»Cada año venía un comisario escolar, para, según decían, ver cómo aprendíamos. Pero nosotros sabíamos que quería ver cómo enseñaban los profesores. Cuando vino una vez más, aprovechamos la ocasión para hacer quedar mal a nuestro maestro. No respondimos a ninguna pregunta y nos quedamos sentados ahí como idiotas. Aquel día nuestro profesor no manifestó ningún placer por nuestra ignorancia. Enfermó de ictericia, estuvo largo tiempo convaleciente, y cuando regresó, volvió a ser el hombre de antes, lujurioso.»

«Ponerse verde y amarillo de rabia» es un dicho popular en alemán. El amarillo remite a la relación entre el enfado y la función del hígado. El profesor enfermó por la reacción de los alumnos, una reacción que a menudo comprobamos en enfermedades psicosomáticas, el telón de fondo de su reacción actual de ofensa era la desilusión por no haber llegado a ser catedrático en sus años mozos, algo que el profesor, al parecer, no había superado nunca y que alimentaba su comportamiento de menosprecio.

El terror de la ofensa

» En la ofensa uno se aterra.

» En situaciones de ofensa, el cuerpo reacciona con una serie de comportamientos específicos, tales como contener el aliento, espasmos musculares y rigidez.

» Respirar hondo y moverse son las primeras reacciones que ayudan a salir de la rigidez y constituyen la base para superar las ofensas.

» Las decepciones no elaboradas se convierten en el suelo nutritivo de sentimientos y acciones de ofensa actuales.

» Las desilusiones no elaboradas se convierten en caldo de cultivo para sentimientos y acciones de ofensa actuales.

Cuando estamos ofendidos

La ofensa golpea el punto vulnerable

Todo el mundo conoce el papel del ofendido. Ya sea que las vivencias de la ofensa queden muy atrás en el tiempo, ya sea que las hayas vivido de forma reciente. Las ofensas pueden tener una importancia de primer orden para nuestra vida o ser pequeñas ofensas que superamos relativamente rápido. En cualquier caso, sabemos cómo se sienten las ofensas padecidas.

¿Puede recordar aún la última ofensa que vivió? ¿Cuándo tuvo lugar y a quién se debió? ¿Cómo se sintió y se comportó? ¿Sabe usted cuáles de sus expectativas y necesidades se tomaron muy poco en serio?

Tenga valor y permanezca un rato en esa vivencia. Con el telón de fondo de una experiencia o un acontecimiento personales, es posible que la comprensión de lo que sigue sea mayor.

Las heridas causadas por otros suceden a menudo sin intención y sin que nosotros hayamos estado preparados para ellas. Las ofensas nos caen encima como un rayo de un cielo sereno, con frecuencia nosotros mismos no entendemos por qué reaccionamos tan violentamente. Pero lo hacemos porque la ofensa golpea el punto en el que somos sensibles. Por eso lo he llamado el punto vulnerable, porque en ese punto somos heridos y vulnerables.

El punto vulnerable se forma allí donde las ofensas y heridas padecidas no se han curado y pueden ser activadas en cualquier momento por nuevas vivencias. Cada herida con un contenido similar nos golpea en ese punto, vuelve a abrir la vieja herida y hace que nos duela.

Nuestra reacción actual no está, pues, determinada sólo por la actuación ante la ofensa recién vivida, sino también por lo que hemos vivido en ese contexto hasta entonces. Nuestro dolor no es solamente el actual, sino también el viejo; la ira no es sólo la actual, sino la suma de todos los sentimientos de ira hacia todos los que nos han herido hasta entonces; el ofensor no es sólo una persona, sino que representa a todos los ofensores anteriores. Esto tiene como consecuencia, por un lado, que nuestro comportamiento sea más violento de lo necesario y actuemos mal ante los ojos de otros o, como mínimo, seamos incomprendidos. Por otro lado, significa que ya no percibimos debidamente a nuestro oponente, sino que nos enfrentamos a él como si representara a todos nuestros otros ofensores.

Isolde sufría porque sus relaciones de pareja se rompían una y otra vez, en cada nueva pareja veía al hombre esperado y estaba segura de que esa vez funcionaría. Se esforzaba al máximo por no repetir viejos errores y ser una pareja atractiva y amorosa. Pero a la menor señal de que el amigo planeaba retirarse, ella reaccionaba ya como si estuviera herida. Sus experiencias negativas en las relaciones hacían que viera en cada actuación de su pareja la amenaza de una separación y de verse abandonada, a lo cual reaccionaba con un miedo cerval.

Para dominar el miedo, empezó a controlarse a fin de que la situación no se le escapara de las manos. Pero su control dejaba a la pareja demasiado poco espacio, lo presionaba e hizo que se retirase cada vez más. Debido a sus heridas, Isolde no podía soportar esa situación, pero tampoco era capaz de comentarla con su pareja de modo constructivo. En lugar de eso, lo insultaba, le hacía reproches y estaba fuera de sí de pura rabia. Se había ofendido tanto que ya no podía compartir los sentimientos de él ni percibirlo.

El trabajo terapéutico consistió en ponerla nuevamente en contacto consigo misma e identificar la herida que se le abría ante determinadas actuaciones de su pareja. Resultó que ella había perdido muy tempranamente a su padre, que murió en un accidente. Esa pérdida estaba en la base de su miedo a separarse y formó su punto vulnerable. En la terapia pudo lamentar por primera vez la muerte del padre y vivir y expresar su desilusión y su ira por esa muerte. También sintió que gran parte del dolor y de la ira que experimentaba en las separaciones estaba relacionada con los sentimientos hacia su padre. Su pareja entonces no sólo se veía afectada por la desilusión de Isolda, sino también por las emociones que, en realidad, tenían por destinatario al padre de ella.

Para la pareja la situación era totalmente distinta. Sentía el miedo de la mujer como una presión, sin saber exactamente qué ocurría. Si él mismo, en su propia historia, había tenido experiencias negativas con presiones, el comportamiento de su amiga podría herir su punto vulnerable, que podría ser que no le es lícito decidir libremente y que su autonomía se ve castigada con la pérdida de amor. Si ejerce control, tendrá miedo y por tanto deberá limitarse en exceso para no sucumbir a la presión. Posiblemente no intuía que Isolda vivía eso como rechazo. Sin embargo, si lo hubiera sabido, hubiera podido mostrarse comprensivo con sus temores, lo cual hubiera distendido su relación. Asimismo ella hubiera podido concederle más libertad si hubiera conocido su historia y su punto vulnerable. El conocimiento mutuo de lo que puede herirlos no impedirá necesariamente futuras ofensas, pero sí podrá suavizar la violencia de sus reacciones y abrir vías constructivas de diálogo sin tener que separarse ni añadir excesivamente perjuicios.

El punto vulnerable y el trato con experiencias de ofensa

» ¿Qué punto vulnerable toca la ofensa?

» ¿Qué vieja herida vuelve a abrirse a causa de la situación actual?

» ¿Qué tema doloroso no ha podido curar aún?

» ¿Tiene usted realmente que tomarle a mal al otro su comportamiento, o bien le toca soportar una reacción que tenía otro destinatario?

» ¿Ve usted en el ofensor tal vez a otra persona?

» ¿Qué reacción pertenece a la persona actual que la ofende y cuáles a una anterior?

» ¿Cómo es la historia del otro, qué lo hiere, qué punto vulnerable ha identificado en él?

Tenga claro que:

>> Su pareja no puede curar sus viejas heridas.

>> Usted es responsable de sus sentimientos y no el otro.

>> La ira, los reproches y las quejas no resuelven el problema.

>> Debe mostrarse comprensivo consigo mismo y con su pareja.

>> La perspectiva del otro es distinta de la suya.

¿Qué puede hacer?

>> No manifieste de inmediato sus sentimientos ante el otro, y ponga primero orden dentro de sí.

>> Espere como mínimo un día y una noche antes de reaccionar.

>> Verifique sus suposiciones sobre las intenciones del otro.

>> Antes de actuar debido a una sospecha, averigüe si sus suposiciones son ciertas.

>> Dígale al otro lo que teme y lo que necesita para sentirse seguro.

>> Pregúntele al otro lo que siente y lo que necesita de usted.

Me lo tomo todo de forma personal

Las experiencias que forman el punto vulnerable originan en nosotros ciertas actitudes en relación con nosotros mismos y con otras personas. Quien, por ejemplo, se ha sentido rechazado de niño puede desarrollar la actitud: «No lo hago todo bien. No formo parte de ellos, a mí nadie me quiere». A partir de esta convicción mirará el mundo y a los demás desde la perspectiva del posible rechazo. En esta actitud van tomando forma la duda de sí mismo, los trastornos de ansiedad social y la inseguridad, que constituyen un terreno de cultivo de la disponibilidad a ofenderse. Debido a la inseguridad sobre sí mismo y al miedo a hacer algo mal, esa persona tiende a tomárselo todo de forma personal y a relacionar consigo lo negativo. Un comentario despreciativo que escuche al azar estará, naturalmente, referido a ella; una mirada crítica le demostrará que ha hecho algo malo. Si entra en una oficina donde haya varios colegas suyos y éstos dejan de hablar, por supuesto que antes estaban hablando mal de él. También se siente responsable del mal humor de su esposa. Es como si el mundo entero girase sólo en torno a él, y los demás estuvieran ocupados complicándole la vida.

El riesgo de ofenderse en una persona semejante es forzosamente muy grande, porque depende en exceso de las reacciones de su entorno y percibe así cada señal crítica o desdeñosa. De esta manera reafirma su imagen propia negativa, lo que la vuelve aún más insegura y susceptible de ofenderse.

Las personas susceptibles de ofenderse se lo toman rápidamente todo de forma personal

» Las dudas sobre sí mismo, los temores sociales y la inseguridad son un terreno de cultivo para la susceptibilidad a ofenderse.

» Las personas susceptibles de ofenderse se caracterizan porque relacionan consigo todo lo negativo.

» Observan su entorno muy cuidadosamente y registran cualquier impulso negativo.

» Se sienten continuamente culpables, aunque no lo sean.

» Por lo general, no están seguros de sí mismos y tienen miedo.

¿Cómo puede superar una actitud semejante?

» Desvíe la mirada hacia lo positivo y registre elogios, cumplidos, miradas amables o incluso una sonrisa de quien tiene enfrente.

» Fortalezca su autoestima y permita que lo traten bien.

» No comulgue con todo lo que le presenten.

» En caso de duda, pregunte si el comentario negativo, la mirada crítica o el rechazo iban realmente dirigidos a usted. En caso afirmativo, pregunte por el motivo.

» Tenga claro que usted no es ni el responsable de todo ni el culpable de todo.

» Tenga el valor de confesar su posible participación en el conflicto de la ofensa, sólo entonces podrá solucionarlo satisfactoriamente.

» Revise la actitud crítica y desdeñosa que tiene consigo mismo, tal vez esté haciéndose a sí mismo lo que les imputa a los otros, menospreciarse.

» Preste atención a la manera como menosprecia a otras personas, con palabras, miradas o pensamientos. Quien teme ser menospreciado, tiende a menospreciar a los demás.

» Aunque le resulte difícil, concéntrese en los aspectos amables de la gente.

» Una mirada más reconciliadora hacia los otros puede también reconciliarle más consigo mismo.

Tal como está, está mal

La actitud «tal como está, está mal», origina un permanente descontento con uno mismo, con el mundo y con los demás. Para las personas con esta actitud, el tiempo es o demasiado frío o demasiado caliente, y lo mismo les pasa con la mayoría de las situaciones: ni ellos mismos ni los demás pueden hacer las cosas de modo que se sientan contentos. Las consecuencias son desilusiones permanentes, que preparan el terreno para una sensación de ofensa crónica, que no raras veces se manifiesta en forma de enfermedades o estados doloridos difusos, aunque el verdadero problema no es corporal, sino psíquico.

Una persona que se siente crónicamente ofendida no sólo padece subjetivamente, sino que también les complica la vida a otros, porque impide los comentarios constructivos. Intente alguna vez criticar o señalarle un fallo a una persona susceptible de ofenderse. Será muy difícil que lo consiga, porque esa persona interiorizará sin preguntar todo lo que le diga, o se ofenderá tanto que lo rechazará todo y le imputará perfidia. De ese modo usted quedará desautorizado, y ya no le será posible entenderse con esa persona de manera objetiva sobre un problema. Cuando se pierde la mirada diferenciada sobre el propio comportamiento, falta también la disponibilidad para percibir la parte personal que se tiene en un conflicto de ofensa. Entonces ya sólo quedan los extremos: menospreciarse sin justificación y ponerse totalmente en tela de juicio, o negar cualquier culpa. Una solución constructiva del conflicto se vuelve así imposible.

Irene tenía cuarenta años, era muy atractiva y siempre amable. A primera vista nadie hubiera sospechado que por dentro era una persona amargada y profundamente desilusionada. En el fondo sólo funcionaba, pero no vivía. Inició la terapia porque se sentía deprimida y enfermaba a menudo. Pero no sólo por eso. En realidad nada funcionaba bien en su vida. Estaba descontenta en su profesión y se quejaba continuamente de que le exigieran demasiado poco. Pero cuando le encomendaban alguna tarea de responsabilidad, la rechazaba por miedo a no poder hacerla bien. Tenía problemas con su vivienda, porque no sabía exactamente dónde le apetecía vivir y ninguna casa le parecía adecuada. Una estaba en un lugar demasiado ruidoso, otra era demasiado pequeña, otra demasiado apartada. Si al final se decidía por algún sitio, muy poco después surgían dificultades casi insuperables.

Sus amigos sólo raras veces se hacían eco de las ideas que ella misma se había forjado, por lo que con frecuencia se quejaba de ellos. Si no la buscaban, quedaba profundamente ofendida, se sentía excluida y no querida. Nadie se atrevía a decirle sin pelos en la lengua que, en realidad, sólo unos cuantos soportaban estar más tiempo con ella, porque a una crítica semejante hubiera respondido con violentos reproches y la ruptura de la relación. Toda su actitud estaba apuntalada por el reproche, el rechazo y la desconfianza. Por lo general, eran los demás los culpables de sus pesares, razón por la cual los rechazaba. Pero luego lamentaba este paso, porque se sentía sola y abandonada. Y después volvía a mostrarse amable e interesada, hasta que ocurriera algo que la ofendiese de nuevo. En ese momento empezaba el «juego» desde el principio.

Cuando había que averiguar qué parte de culpa tenía ella en los conflictos de relación, se cubría de improperios o se hundía en la autocompasión, o bien en un rechazo cargado de odio. No conseguía reflejar su comportamiento sin menospreciarse a sí misma o a los demás. Esta actitud también la desarrolló frente a la terapia al cabo de un tiempo, cuando sintió que no se lograría un cambio sin su colaboración ni su responsabilidad. Estaba ofendida y desilusionada por que sus expectativas en el tratamiento no se cumplieran y finalmente lo dejó.

Las personan que se sienten ofendidas se complican
la vida a sí mismas y a los demás.

Usted es víctima de la convicción «tal como está, está mal»...

» Por lo general, cuando está descontento.

» Cuando pone reparos a todo y a todos.

» Siempre que quiere algo distinto de lo que en ese momento tiene.

» Cuando lo que consigue no basta, o no es lo que quería, o llega en mal momento, o de una persona no apropiada.

» Cuando reacciona a fallos o críticas con emociones violentas.

» Cuando está convencido de que los otros son culpables del mal que lo aqueja.

» Cuando se hace reproches a sí mismo y a los demás en forma permanente.

¿Cómo puede resolver este problema?

» Deje de echarle la culpa a los otros.

» Evite los extremos: ni es responsable de todo ni puede evadir su responsabilidad en determinadas cosas.

» Intente reflexionar sobre su propia responsabilidad.

» Registre conscientemente todo lo positivo que ha vivido en el curso del día, con cualquiera de las personas con las que ha estado.

» Deje que otros le respondan, limítese a escuchar con atención, sin justificarse enseguida. Deje que lo escuchado surta efecto. Y tome en serio lo que otros aceptan y rechazan de usted.

» Aprenda de la crítica, y tenga el valor de cambiar sin menospreciarse como persona.

» Intente recordar el momento presente y registre conscientemente todo cuanto esté en orden.

» Esté abierto también para las pequeñas experiencias que han tenido éxito y muéstrese agradecido, porque las desilusiones continuas son el perfecto caldo de cultivo para una sensibilidad crónica a la ofensa.

» Desarrolle una nueva actitud: «Tal como está, está bien y voy a sacar el mejor provecho de ello».

Estoy ofendido porque tú...

Los conflictos de la ofensa surgen porque la gente establece un vínculo entre el comportamiento del otro y el propio bienestar según el modelo: «Yo padezco porque tú siempre...», «Yo soy feliz cuando tú...»

Este vínculo entre el propio bienestar y el comportamiento del otro puede ser fatal porque con él declinamos la responsabilidad por nuestro bienestar. Como si fuéramos totalmente dependientes y no pudiéramos tomar decisiones propias.

En las relaciones de pareja encontramos a menudo este tipo de conflictos, porque el estado emocional es influido naturalmente por la manera como nos trata la pareja femenina o masculina. Sin embargo, detrás del mensaje «Yo padezco porque tú...» hay mucho más: contiene, por un lado, el reproche de que el otro es culpable del propio mal. Además contiene el deseo de que el otro sea diferente. «Como eres muy remolón, al final siempre he de acabar corriendo», «Como quieres tanta cercanía, me asfixio», «Como eres tan independiente, me siento sola».

Detrás de estos reproches está la esperanza de que en el futuro la pareja no sea tan remolona, busque menos cercanía o permita más dependencia. Pues la persona piensa que entonces le iría mejor. En estos casos ambos se sienten ofendidos. El que padece porque la pareja siempre es remolona no siente que se tome en serio su necesidad de puntualidad, mientras que el otro se siente, incluso con razón, agredido y condenado por algo de lo que no es responsable.

Una discusión no ofensiva consistiría en transmitir a la pareja los propios deseos, en vez de hacerle reproches. Si su pareja no logra ser puntual, por ejemplo, usted tiene la responsabilidad de evitar el estrés que ello pueda ocasionarle y salir más temprano para llegar a tiempo adonde quiere ir. Si aprende a tomar sus propias decisiones y a cuidar de sí mismo con responsabilidad, se sentirá menos ofendido.

Una mujer se quedó muy sorprendida cuando advirtió cuánta responsabilidad le había transmitido siempre a su marido sin darse cuenta. Acababan de pasar separados un tiempo en el que ella se había visto obligada a organizar su vida de manera independiente y asumir sus responsabilidades. Mientras estuvo sola, fue adquiriendo mayor responsabilidad sobre sí misma a medida que pasaba el tiempo, aunque padecía por el alejamiento de su pareja.

Sin embargo, perdió la autonomía adquirida y la seguridad personal en los seis primeros meses que volvieron a vivir juntos. Al principio se sentía suficientemente amada y respetada por su marido, lo que en el transcurso del día, no obstante, volvía a disminuir de nuevo.

Como su confianza en su marido y en la durabilidad de la relación había sufrido un menoscabo, necesitó mucho apoyo para volver a confiar en él. No necesitó, sin embargo, reflexionar mucho tiempo: «Daría mayor intensidad y valor al contacto con mis amigos. Saldría de casa más a menudo. Tendría ganas de asistir de nuevo a un seminario que me acerque a mí misma y me dé fuerzas. Y me orientaría más hacia lo que me apetece hacer. ¿Cómo se sienten ambos si ella cambiara esto en la relación?

«Estoy ofendido porque tú...» es una afirmación
que conduce al error y al conflicto.

El conflicto

>> Las ofensas surgen porque uno crea un vínculo entre su propio bienestar y el comportamiento del otro.

>> En las relaciones uno tiende fácilmente a desentenderse de la responsabilidad que tenemos con nosotros mismos.

>> Uno se ofende cuando su propia necesidad de cercanía no es satisfecha por el otro por miedo al abandono.

>> Los reproches mutuos consolidan el conflicto y conducen a nuevas ofensas.

La solución

>> Sea consciente de que el conflicto exterior remite a un conflicto interior no resuelto.

>> Integre los polos dentro de sí, en vez de esperar que la solución venga de la pareja.

>> Por su bienestar independícese paulatinamente del otro, sin renunciar a la relación.

Te me acercas demasiado

Muchas ofensas en las relaciones surgen por problemas de cercanía-distancia, en los que uno de los integrantes de la pareja se queja de los excesivos deseos de cercanía del otro, y éste padece por el distanciamiento que mantiene el otro miembro. Él manifiesta: «Yo padezco cuando te me acercas demasiado». Es decir, le iría mejor si ella se mantuviera a mayor distancia. La parte difícil, es decir, la responsabilidad de lograr una convivencia, la tiene ahora ella, decidiendo la distancia apropiada. Si eso funcionara realmente así en la convivencia, sólo necesitaríamos a la pareja ideal, que nunca se acerca ni se aleja demasiado. Aunque tampoco podría ayudarnos, porque el verdadero problema está en nosotros mismos. ¿Qué significa esto?

En el conflicto cercanía-distancia existe por lo general una ambivalencia entre:

1. El deseo de cercanía y el miedo a la dependencia,
2. El deseo de autonomía y el miedo a ser abandonado.

Ambos polos son equivalentes, y no sabemos por cuál decidirnos.

Por lo general, ocupamos solamente un polo, por ejemplo el del deseo de cercanía, y dejamos a nuestra pareja el otro polo, es decir, el miedo a la dependencia. Así que nosotros ya no tenemos por qué sentir ese miedo, pues dejamos que sea nuestra pareja quien lo experimente. Exactamente lo mismo ocurre con la autonomía y el abandono. Uno vive la autonomía, se comporta de manera autónoma e independiente, y el otro siente el miedo al abandono. Visto desde fuera parece como si uno hiciera una labor de acercamiento y el otro tuviera a su cargo la distancia. Esta división del trabajo conduce automáticamente, sin embargo, a conflictos de ofensa, porque ninguno puede contentar al otro. Uno se acerca demasiado, otro se aleja demasiado, y cada uno desilusiona con su comportamiento unilateral las necesidades del otro.

Sólo cuando convertimos este conflicto exterior en uno interior nos aproximamos a una solución. Para ello es necesario buscar en sí mismo el otro lado, vivido hasta entonces por la pareja femenina o masculina. Eso significa ser igualmente consciente del propio deseo de cercanía y del propio miedo a la dependencia tanto como del deseo de autonomía y del miedo al abandono.

No sólo el otro teme la dependencia y busca por ello la distancia en su autonomía, también yo lo hago. No sólo yo busco la cercanía porque tengo miedo de ser abandonado, sino que eso también forma parte de la vida anímica del otro. Sólo entonces comprendemos las necesidades de nuestra pareja y vivimos «en carne propia» que la autonomía no significa en absoluto abandonar al otro, sino realizar ideas propias. Eso enriquece la convivencia, en vez de destruirla con la ofensa.

Es feliz con su nueva pareja

A menudo vemos intensas reacciones de ofensa en parejas separadas cuando uno de los dos inicia una nueva relación. Aunque la separación se haya producido hace años o decenios, puede resultar doloroso que la ex pareja sea feliz con otra persona. Esto no es válido sólo para el que fue abandonado, sino también para el que en su momento disolvió la relación.

Así, por ejemplo, en una pareja que se separó hace quince años y que, por deseo de ella, se divorció hace diez, la mujer no logra aceptar que él viva feliz hace años en un nuevo matrimonio. Para ella sigue siendo un aguijón clavado en su carne. No obstante, a la pregunta de si querría volver a vivir con su ex esposo, responde categóricamente: «¡No!», pues siente que su amor por ese hombre se ha extinguido hace ya muchos años. Pero ¿por qué entonces eso la sigue ofendiendo aún hoy si, además, sus hijos, ya adultos y casados, se sienten igual de bien con ella que con su padre y la actual mujer de éste? ¿Tal vez porque no soporta que otra sea feliz con el hombre al que ella mandó a paseo?

¿Dónde están todos los fallos que ella no podía soportar en él? ¿Ha cambiado tanto ese hombre? ¿Fue tal vez ella culpable de que él siempre estuviera malhumorado y fuera poco atento? ¿Es la otra mujer tan cariñosa que lo ha acabado convirtiendo en una pareja maravillosa con la que se puede convivir muy bien?

Todas estas preguntas y dudas sobre sí misma son expresión del miedo a haber fracasado como mujer allí donde a todas luces otra ha tenido éxito. La felicidad de la nueva relación demuestra que las cosas hubieran podido funcionar bien con ese hombre. De ella debió de depender, pues, que no funcionasen.

Los reproches y las dudas sobre uno mismo corroen la autoestima y actúan como ofensas, sólo que no provienen de otros, sino de uno mismo. Quienes actúan así se ofenden a sí mismos al menospreciarse y rebajar su importancia para sí y para otros. O bien se plantean expectativas tan altas que no pueden ser satisfechas. Estas autoofensas no son menos activas que las ofensas provenientes de otros y conducen a que los afectados no estén en paz consigo mismos.

Sin embargo, por eso tampoco puede haber paz alguna entre el marido divorciado y su mujer actual. Eso contiene a su vez un potencial de ofensas hacia el marido y la nueva mujer, que probablemente se sienten rechazados y limitados. En el transcurso de los años, esta actitud puede acabar cavando un profundo foso entre todos los afectados, además de producir una serie de heridas mutuas.

¿Qué puede hacerse en una situación semejante?

>> No debe compararse con la nueva pareja, pues una comparación semejante no le hace justicia a nadie.

>> Si se alegra de la dicha de su ex, se liberará de la envidia y de los celos.

>> En el fracaso de una relación colaboran ambas partes, no solamente una.

>> El final del autodesprecio pone fin a la autoofensa.

>> Refuerce su autoestima.

>> Mediante una relación libre de ofensas con su ex puede ganar un amigo.

Adicciones. Protección contra nuevas ofensas

Las adicciones pueden ser la manifestación de profundas experiencias de ofensa y un apartarse de la vida que guarda relación con ellas. Con el alcohol, las drogas, la ingesta excesiva de alimentos y los vómitos, el pasar hambre, la ludopatía, ver televisión, trabajar, la adicción al sexo y a las relaciones, así como a navegar por Internet, la gente puede «desconectar». Detrás está el deseo de protegerse de futuras ofensas. Mejor apartarse que ser nuevamente ofendido. Aquello que, en apariencia, la vida les niega, ellos se lo procuran mediante excesos materiales de toda índole. Pero el riesgo es elevado: el precio puede ser la soledad, la dependencia, la enfermedad, la infelicidad, la desconfianza, la sensación de ofensa crónica e incluso el suicidio.

Detrás del no categórico ante el mundo y ante la vida hay una obstinación negadora. Quien ha conocido la obstinación sabe cuán fuerte puede llegar a ser. El ofendido se aparta, ya no sigue jugando, no quiere saber nada del mundo y se niega a sí mismo.

Eso le ocurrió también a Gabriele, que padecía de una grave bulimia hacía muchos años. En el curso de la psicoterapia se pudo sacar en claro que se sentía ofendida y decepcionada por la vida y por eso se apartaba de sus reglas de juego. Adoptó como actitud fundamental no querer aceptar que las leyes de la vida también eran válidas para ella. En consecuencia, quería siempre otra cosa, prepararse una sopita propia, y desconectaba obstinadamente cuando las cosas se complicaban demasiado o ella no conseguía lo que quería.

Su actitud era comparable a la de quien en un restaurante estudia las ensaladas de la carta y pide una:

«Quiero esta ensalada, pero sin jamón, y con el queso y el tomate en otro plato, y la salsa para aliñar la ensalada aparte. Sí, y nada de ajo, porque me produce alergia.»

»Cuando el camarero le dice que eso no puede ser, esa persona no dice: "Entonces tráigame la ensalada tal como la preparan, y comeré lo que me apetezca", sino que dice: "Pues en ese caso no voy a comer nada". Lo cual significa, traducido: "O las cosas se hacen según mis reglas y condiciones, o yo no colaboro, prefiero quedarme con hambre que comer lo que hay ahí". Y así se quedó realmente con hambre, lo cual también era una manifestación de su trastorno alimenticio.»

En este tipo de personas, la ofensa consiste en que plantean expectativas demasiado altas al mundo y a la demás gente y se ven así continuamente decepcionadas. La agresión como reacción a la decepción la dirigen contra sí mismas en forma de improperios, malos tratos, ingesta excesiva de alimentos y abundantes vómitos. Hacia fuera se muestran obstinadas y desdeñosas.

Convertir el no en un sí al mundo y a la vida empieza con la disponibilidad a aceptar las condiciones de la vida y sentir que ahí hay mucho más de lo que uno cree. Pues también en una ensalada que no se corresponda con el ideal propio hay cosas sabrosas. Aunque la vida ofrezca cosas distintas de las que uno busca, puede resultar provechoso tender una mano hacia ellas, en lugar de irse con ambas manos completamente vacías.

La actitud adictiva

» Las enfermedades adictivas surgen con frecuencia debido a experiencias de ofensas anteriores.

» Por regla general, los adictos tienen la sensación de que la vida les ha quedado debiendo algo y de que son tomados muy poco en serio.

» Las consecuencias son la decepción y la negativa obstinada a la vida.

» Su actitud es: «En eso yo no participo. Prefiero apartarme que ser de nuevo ofendido».

» Evadirse de la realidad con adicciones da la ilusión de inmunizarse contra nuevas ofensas.

La solución

» La adicción no es ninguna solución, sino una enfermedad.

» La adicción pone de manifiesto la búsqueda de satisfacción y sentido. La obstinación y la negación son los antagonistas.

» Con su actitud obstinada, el que sale más perjudicado es usted, porque al final se va con las manos vacías.

» Tenga claro que las reglas también valen para usted, pero que usted influye para que sean reglas útiles y favorables.

Nuestro amor es rechazado

El rechazo de nuestro amor es un tema esencial cuando nos ocupamos de ofensas. Sobre él se han escrito ya varios libros especializados. Constituye el contenido de muchas novelas de amor y de misterio, de películas, cuentos y sagas, informes periodísticos cotidianos y apuntes de diarios personales. Cada uno de nosotros ha experimentado rechazos y nos vemos enfrentados una y otra vez a ellos. Cuando queremos y nuestro amor no es correspondido, podemos ofendernos tanto que seríamos capaces de matar a alguien y matarnos a nosotros mismos, lesionarnos y descarriarnos; perdemos pie y no estamos ya en nuestro sano juicio.

La reacción de ofensa que nos produce el rechazo por parte de un ser querido nos afecta con particular intensidad, porque reaccionamos mucho más violentamente ante las heridas que nos causan personas conocidas que ante las de quienes no se hallan tan próximos a nosotros. Pues pensamos que aquéllos nos tienen una estima especial y no nos pueden rechazar. En estos casos, el rechazo puede causar una reacción de ofensa muy intensa, acompañada de una gran irritación de la autoestima. Sobre todo cuando activa nuestros complejos de inferioridad y el mensaje que va unido a ellos: «No eres digno de ser amado, ni deseado, ni tampoco eres lo bastante bueno». Con una autoestima debilitada podemos pensar luego: «No valgo nada, soy superfluo». No obstante, si en una situación semejante logramos no perder nuestra autoestima y permanecer en contacto con nuestros sentimientos y necesidades, brindándonos apoyo a nosotros mismos, reforzaremos la valoración que tenemos de nosotros mismos y podremos enfrentarnos al rechazo de manera más constructiva, aunque ello nos resulte doloroso.

Quisiera ilustrarles esto con un ejemplo: la primera vez que

Hanne y Bernd salieron juntos la pasión entre ellos casi hubiera podido encender una bombilla. Disfrutaban de la atracción mutua y ella se enamoró de él. Pero al cabo de unas semanas él manifestó cierta reserva, lo cual inquietó a Hanne. A la pregunta de qué ocurría, él respondió: «No estoy enamorado de ti».

Para ella fue un duro golpe, aunque ya había notado un cambio en él. Hanne no lo entendió y reaccionó con una gran tristeza. Esa tristeza la ayudó a no caer en la ofensa y reaccionar, por ejemplo, con reproches e inculpaciones. Se pusieron de acuerdo para guardar una distancia transitoria y reanudar más tarde el contacto. Y entonces pasó lo que suele ocurrir en situaciones de ofensa: en ella reaparecieron viejas historias relacionadas con rechazos que apuntalaron su tristeza. Sintió que no sólo lloraba por la decepción de su ruptura con Bernd, sino también por otras cosas, aunque no sabía muy bien cuáles.

En parte era el miedo a ser abandonada, el duelo en caso de perderlo, la desesperación de no saber por qué siempre le ocurría algo, y la necesidad de hablar con otras mujeres y buscar consejo y apoyo. Eso fue lo que hizo. Lo que además le sirvió de apoyo en todo este proceso fue que él le tenía aprecio y ella también lo apreciaba a él. Ningún odio envenenaba adicionalmente sus sentimientos. Poco a poco fue sintiendo una paz cada vez mayor y se fue centrando en sí misma.

Al cabo de unos días hablaron sobre lo que había ocurrido. Ella intentó explicarle lo que sentía, pero sólo encontró una imagen para ilustrar su estado anímico: «Siento mi enamoramiento como si estuviera nadando en un mar embravecido. Tu declaración de que no estás enamorado de mí es como una ola gigantesca que me arrastra y me arroja a la orilla. Duele mucho, porque tengo la piel excoriada. Pero también tiene algo bueno. Es como si regresara a mi casa, como si volviera a hacer pie después de haberlo perdido».

Él reaccionó con gran alivio, pues se sintió liberado y pudo comunicarle sus sentimientos positivos. Como ella había regresado a casa, él pudo acercársele, pues ya no tenía por qué sentirse obligado a asumir la responsabilidad del bienestar de Hanne, como había sido el caso antes.

Cuando nuestro amor es rechazado, solemos tener la sensación de ser menospreciados, como mujer (o como hombre). Al término de una conferencia sobre ofensas, una mujer preguntó qué podía hacer si, siendo ya los dos mayores, su esposo la sustituía por una mujer joven. No habló de separación ni de abandono, sino de sustitución, como si fuera sustituida cual un motor viejo, que ya había cumplido su misión, por uno nuevo, que funcionara mejor. Detrás de una imagen semejante no hay una imagen femenina de autoestima, sino una imagen herida, menospreciada, pero también una imagen negativa del hombre egoísta, carente de sentimientos. Conservar la dignidad femenina es, por eso, un objetivo importante, que las mujeres no deben perder de vista después de un rechazo. Pues también sin sus maridos son valiosas y no valen menos que con ellos. Además, es necesario revisar la imagen negativa de los maridos, pues no todos los hombres son sólo malos cuando abandonan a su mujer.

Para el hombre es válido preguntarse a su vez: «¿Qué imagen tengo de mí como marido abandonado y de las mujeres en general?»

Algo parecido vale para las relaciones entre personas del mismo sexo. Por un lado, la separación activa las dudas sobre uno mismo y los complejos de inferioridad, y por otro lado, pone en tela de juicio la imagen del otro. Si no se satisfacen las expectativas de endopatía espiritual y necesidad de contacto, puede surgir fácilmente un reproche a la amiga: se comporta como un hombre.

Para la virilidad de un hombre puede suponer una grave

ofensa que una mujer lo abandone por otra mujer, como fue el caso de Artur. Lo hirió no sólo que su mujer se separase de él, sino que encima amara a una mujer. Elaboró eso como menosprecio personal, como que él no bastaba como hombre y no tenía ningún valor para ella. Y eso puso en tela de juicio toda la relación: ¿qué he sido yo todo este tiempo para ella? ¿Qué me ha hecho creer? ¿Quién era ella realmente? ¿Eran verdaderos sus sentimientos hacia mí o era todo una mentira? En medio de su ofensa, él contraatacó y llegó a llamarla escoria de la humanidad. No podía soportar esa forma de menosprecio, aunque ella nunca vivió su nuevo amor como un menosprecio a su marido. Pero él no podía creerle.

En la edad adulta se repiten a veces las formas de rechazo que hemos vivido en la infancia. Así, por ejemplo, una amiga me contó la historia siguiente: cada vez que su madre se enfadaba con ella, volvía la foto de su hija hacia abajo y sólo la colocaba otra vez mirando hacia arriba cuando se acababa el conflicto. Pero eso podía tardar un buen tiempo. Para Angelika la foto vuelta hacia abajo era una señal de supremo rechazo y denegación. Cuando a los treinta y cinco años tuvo una crisis de relación con su pareja, regresó una noche a casa y sobre la mesa vio su foto vuelta hacia abajo. Eso la estremeció como un relámpago y la hirió profundamente. Y también apareció lo que ella asociaba a ese hecho; se separaron unas semanas más tarde. Al igual que la escena de la ofensa de su madre, ésta no se le ha borrado de la mente hasta hoy: que volvieran boca abajo su foto como si ella ya no existiera. Ser ignorados por alguien nos hiere profundamente en nuestra dignidad personal.

El dolor de no ser amado

» La persona ama, pero no es amada o es abandonada.

» Como consecuencia sufre algún tipo de trastorno psíquico, desde la violencia hasta la autodestrucción o una profunda inseguridad.

» La persona se ve afectada en su autoestima y se siente rechazada y menospreciada.

¿Cómo puede reaccionar?

» Tolera los sentimientos que surgen de sentirse rechazado.

» Inhala y exhala aire tranquila y profundamente.

» Busca apoyo.

» No se menosprecia a sí mismo ni al otro.

» No hace imputaciones malintencionadas, que no se corresponden con la realidad.

» Se toma tiempo, el que necesite, para reflexionar y poner orden en sus ideas y sentimientos.

» Reanuda el contacto con la otra persona y habla sobre lo ocurrido entre ustedes.

» Dan muestras de comprensión mutua.

» Se dejan ayudar por consejeros, terapeutas, mediadores, si no pueden resolver las cosas solos.

» Conservan su respeto como hombre o mujer.

Los prejuicios pueden ofender

En un artículo del periódico *Süddeutsche Zeitung* (24 de febrero de 2012) se podía leer qué prejuicios pueden encontrarse aún en Alemania. La breve cita del texto a continuación tal vez le afecte tanto como a mí:

> *El lunes 20-02-2012 viajaban en el metro de Berlín Gökan Akgün, un maestro de escuela primaria, y una docena de alumnos de entre diez y once años, que iban a jugar a bolos. No había clase, porque era Lunes de Carnaval, y los alumnos, en su mayoría hijos de emigrantes, estaban contentos pensando en los bolos. Pero entre las estaciones Ostbahnhof y Alexanderplatz la alegría se truncó. Un hombre y una mujer alemanes empezaron a insultar al grupo. «¡Dondequiera que uno va sólo hay extranjeros! —gritó la mujer con rabia—. ¡Volved a vuestra casa!» Y el hombre añadió: «¡Gente como vosotros debería ir a las cámaras de gas! ¡Antes os habrían enviado a Auschwitz!» Gökan Akgün no daba crédito a lo que oían. Los niños no sabían qué era Auschwitz, y tampoco entendían por qué tenían que irse a casa. «Pero, señor Akgün —dijo una niñita—, aquí estamos en casa.»*
>
> *Todos escucharon lo que habían dicho los dos alemanes, pero nadie reaccionó. El conductor del metro, al que Gökan Agkün comunicó el incidente, no quiso interrumpir el viaje para llamar a la policía.*

También las ofensas pasajeras, discriminaciones aparentemente sin importancia de pueblos, razas, sexos, religiones, profesiones, inválidos y extranjeros se han asentado en nuestro pensamiento y nuestra vida cotidiana. Los prejuicios determinan nuestra vida. Prejuicios que tenemos frente a otros y que vivimos en nosotros mismos. La reparación de la ventana de mi consulta, que no se hizo durante años, fue resuelta por el propietario en un santiamén con las palabras: «Lo haremos ahora mismo», cuando el nuevo inquilino, un hombre, se la exigió. Yo, como mujer, me quedé sin habla.

En una encuesta en la televisión, la mayoría de las personas interrogadas respondió con un «no» a la pregunta: «¿Tiene usted prejuicios?» Parece ser extremadamente penoso reconocer en público que se tienen prejuicios, porque uno se expone enseguida a un nuevo prejuicio: racista, pedófilo, misógino, pequeñoburgués, etc. Tal vez por eso la mayoría de la gente silencia y niega sus prejuicios. Pero éstos permanecen así ocultos y se sustraen a una corrección necesaria. Sin embargo, si creamos un clima en el que se nos permita reconocer nuestros prejuicios, reflexionar sobre ellos, comentarlos con otras personas y verificarlos en la realidad, perderán parte de su capacidad destructiva y, en el mejor de los casos, podrán ser modificados.

En algunos grupos de autognosis o de terapia de grupo en los que los participantes de ambos sexos no se conocen mutuamente, a veces se da, al principio, a cada persona, tiempo suficiente para que anote sus prejuicios frente a los otros integrantes del grupo, con el fin de que al acabar las sesiones verifique si éstos han cambiado y cuánto. A veces se ven cosas sorprendentes. Lo más relevante de este ejercicio es que la importancia de los prejuicios disminuye cuando se les permite manifestarse y que se vuelven total o parcialmente superfluos una vez que la gente se conoce.

Reconocer prejuicios en público es sumamente penoso para la mayoría de la gente.

¿Cómo puede enfrentarse a sus prejuicios?

» Lo desconocido no sólo genera curiosidad, sino también miedo e inseguridad, y lleva a menudo a tener prejuicios.

» Sus prejuicios negativos, no verificados, son generadores de ofensa y pueden herir a otros.

» Reconozca sus prejuicios y comuníqueselos a las personas que gozan de su confianza.

» La mejor vía para superar prejuicios es el contacto directo con lo extraño y las experiencias positivas que se tienen al hacerlo.

» Algunos prejuicios se confirman en la realidad y se convierten en juicios, otros se vuelven superfluos.

Los cadáveres de ofensas viven largo tiempo

El final de una situación de ofensa inferida es, en muchos casos, la ruptura de las relaciones. No queremos tener ya nada más que ver con una persona «que nos ha hecho tanto daño». Para nosotros ha muerto. Y en un sentido psicológico esto también es cierto. Cortamos la relación, no reanudamos ya ningún contacto con esa persona y la enviamos al sótano como un cadáver de ofensa. De esa manera esperamos deshacernos de ella. ¡Pero nada más lejos de la realidad! Esos cadáveres no están muertos. Y eso lo advertimos como muy tarde en el momento en que escuchamos el nombre de esa persona. Entonces vuelven a resurgir todos los viejos sentimientos, todo el enfado, la decepción y el rechazo que nos inspiraba. Frente a otros empezamos a cubrirla de improperios y a quejarnos del daño que nos hizo. Cosas que seguramente no le habríamos dicho de manera directa. Además, decimos tales cosas cuando el contacto ya se ha roto y no tenemos ninguna intención de esclarecer las cosas conversando. De esa manera permanecemos unidos negativamente a esa persona.

Cuánta energía psíquica nos roba un cadáver de ofensa lo advertí cuando me encontré con una ex amiga a la que yo también había enviado al sótano. Se me acercó, me dio la mano y me saludó. En ese momento sentí un gran alivio en el corazón, aunque nada había cambiado en el viejo conflicto. Pero eso tampoco era lo esencial. Más importante era que el cadáver de ofensa estaba ahora a salvo y yo pude separarme de esa mujer en buenos términos.

Aunque ya no queramos tener más relaciones con ex cadáveres de ofensa, es importante ponerlos a salvo para poder liberarnos de ellos. Los métodos para conseguirlo son múltiples. Si usted no puede reanudar directamente el contacto con esa persona y discutir el problema, o bien si no desea hacer tal cosa o esa persona ya no es asequible, puede entablar imaginariamente el mismo diálogo con ella. Para eso la sienta frente a usted en una silla y le suelta todo cuanto le oprime. Luego puede ocupar el lugar de esa persona y responderse como lo haría ella. Saldrán fuera cosas sorprendentes.

Si eso también le resulta demasiado personal, puede escribir una carta dirigida a esa persona, esperando recibir una respuesta, o bien la redacta sólo para sí, la conserva o incluso la quema cuando se ha despedido.

Ponga a salvo sus cadáveres de ofensa

» Los cadáveres de ofensa nos roban mucha energía psíquica.

» Ponga a salvo sus cadáveres de ofensa entrando en contacto directo o imaginario con esas personas.

» El objetivo es la solución y la separación en buenos términos.

» «Te dejo tal como eres y ya no te persigo con mis pensamientos negativos.»

» De ese modo surgen la reconciliación y la paz.

Cuando ofendemos a otros

Por favor, no te lo tomes de forma personal

Para evitar en principio ofender al otro, con frecuencia iniciamos algún comentario crítico o respuesta con las palabras: «Por favor, no te lo tomes de forma personal» o «Por favor, no te enfades, pero debo decirte que...» Partimos del supuesto de que nuestro interlocutor podría enfadarse u ofenderse por lo que vamos a decir, y queremos tenderle un puente para que no tenga que sentirse mal. Quisiéramos comunicar al otro que no deseamos herirlo. Estas frases apaciguadoras son, por un lado, mensajes que ayudan a establecer un contacto libre de ofensas, pero también suponen una especie de absolución para nosotros. «Si digo que mis intenciones son buenas, no necesito sentirme mal ni culpable.» Pero así también damos a conocer al otro nuestra capacidad de endopatía psicológica, anticipándole una posible ofensa. Si tenemos suerte, el otro se sentirá de ese modo visto y reforzado en su autoestima.

Sin embargo, no es seguro que tengamos éxito con nuestra táctica de apaciguamiento, pues no depende de nosotros que la otra persona advierta realmente nuestras buenas intenciones o se cierre enseguida. Nunca podremos evitar con total seguridad una reacción de ofensa en el otro por muy cautelosos que seamos y por mucho que lleguemos a comprender sus sentimientos. Pues que la otra persona se sienta ofendida o no por nosotros no es responsabilidad nuestra, sino suya. Y no podemos incidir esencialmente en la forma como interprete nuestro comportamiento. Sólo podemos esforzarnos en tratar a alguien con respeto, sin menospreciarlo ni desdeñarlo, ni excluirlo, ni atacarlo verbalmente o herir su autoestima. Por el contrario, hay una probabilidad muy elevada de que mediante un comportamiento desdeñoso o menospreciativo ofendamos a la otra persona. No obstante, es responsabilidad suya que acepte o no la ofensa, como ya comenté en relación con la cita de la entrevista a Morgan Freeman (véanse páginas 21-22).

Por eso quisiera insistir en que la frase «Me has ofendido» debería sustituirse por «Me siento ofendido por ti». En el fondo, tampoco es correcto hablar de un ofensor. Más correcto sería decir: alguien por quien otros se sienten ofendidos. Sin embargo, por mor de la sencillez y porque está anclado en nuestro idioma, yo utilizo pese a todo el término ofensor.

La experiencia de haber ofendido a alguien

Con frecuencia somos menos conscientes del papel del ofensor que del ofendido, tal vez porque como ofensores podemos crear una distancia emocional más grande frente al acontecimiento que si nosotros fuéramos los heridos. Por otro lado, al oír la palabra ofensa mucha gente piensa más en haber ofendido a otro que en ser ofendida. Parece, pues, que el papel del ofensor no pasa ante nosotros sin dejar huellas. Cuando alguien se siente ofendido por nosotros, lo primero que experimentamos son sentimientos de: «He hecho algo mal». Tenemos miedo de haber ofendido a alguien, aunque no haya sido nuestra intención hacerlo, o bien nos enfadamos por que nuestro interlocutor sea tan susceptible. Intentamos tranquilizar al ofendido y descargarnos a nosotros de culpa diciendo: «No te enfades, mi intención era buena». Pero la ofensa ya le ha llegado al otro y sólo podemos confiar en debilitar la intensidad de la reacción.

El comportamiento del ofendido se acaba convirtiendo a menudo en una especie de ofensa para nosotros, sobre todo cuando es muy intenso para nuestra susceptibilidad, no lo comprendemos, hiere nuestro propio punto vulnerable y nos deja bajo una luz mala. Entonces nos sentimos heridos, incomprendidos, rechazados, culpables, menospreciados, enfadados y tendemos a romper la relación. En el siguiente ejemplo veremos que nuestros sentimientos en el papel del ofensor pueden ser similares a los del ofendido.

Yo estaba pasando un espléndido día de verano en el jardín de unos amigos que también son terapeutas. Conversábamos sobre a qué nos dedicaríamos si no fuéramos psicoterapeutas. Jörg, al que le gusta comer bien y cocinar, dijo que habría abierto un restaurante para gastrónomos. Más tarde, cuando empezó a cortar los tomates para la ensalada, le dije en broma: «Cuando tengas un restaurante para gastrónomos, tendrás que quitarle el pedúnculo al tomate». No lo dije con ninguna mala intención, ni para reprenderlo, sino más bien quise ser divertida y ayudar. Pero cuando le miré la cara, que se le ensombreció enseguida, noté, por su mirada sombría, que no me había encontrado en absoluto divertida, sino que lo había ofendido. Me quedé totalmente sorprendida por su reacción, pues no lo consideraba una persona susceptible y no me había imaginado que mi comentario pudiera herirlo. Asustada por la intensidad de su rechazo, me retiré provisionalmente, gesto que era el único correcto. Aproveché la distancia para poner orden dentro de mí. Y entonces sentí que, por mi parte, también yo estaba herida, pues me sentía incomprendida y rechazada por él, como si hubiera hecho algo malo. Me irritaba que se enfadara por algo que yo había dicho en broma. No merecía una reacción semejante. Y empecé a vacilar entre dos impulsos: por un lado, buscar en mí la culpa, y por el otro, criticar su rechazo. Al mismo tiempo entré en contacto con mis propios temas y puntos vulnerables, por haber hecho algo mal y perturbar la paz y ser rechazada. Sólo con el tiempo comprendí que su reacción tenía tal vez que ver más con él que con mi comentario, lo que al final resultó ser cierto. Logré calmarme y no menospreciarme a mí ni a él. Logré no sentirme presionada a ser forzosamente comprendida ni a repararlo todo. Y no tuve que menospreciarlo por no haber comprendido mi broma. Pude conservar mi autoestima, incluso corriendo el peligro de que me considerase tonta, cosa que no hizo. El contacto que siguió no fue problemático y estuvo libre de ofensas.

He descrito este ejemplo tan detalladamente para mostrarles lo que ocurre en nuestra alma y nuestra cabeza cuando hemos ofendido a alguien. El modelo es invariable, ya se trate de ofensas grandes o pequeñas. Cuando percibimos conscientemente el curso de nuestros pensamientos, actitudes y sentimientos, tenemos la posibilidad de actuar racionalmente y no dar manotazos a nuestro alrededor, impulsados por las emociones.

Regina, una paciente mía, llamó un día por teléfono y me dijo, de buenas a primeras, que quería dejar la terapia. Yo no lograba explicarme por qué y quería saber el motivo. Quedamos en encontrarnos una vez más para comentarlo todo. Y resultó que se había sentido ofendida cuando, después de su última sesión conmigo, se cruzó en el pasillo con otra paciente mía, lo cual sucedió sólo porque yo no había terminado a la hora en punto. El problema para Regina no fue tanto el encuentro en sí, como el hecho de que la otra paciente era más esbelta y, por tanto, a sus ojos más atractiva y digna de aprecio. Pensó que, por supuesto, yo prefería a la otra más que a ella y, por tanto, podía dejar de venir. Por suerte no dejó de venir y tuvimos la posibilidad de resolver el conflicto, cosa que conseguimos porque Regina pasó a ser consciente de su ofensa y la comentó conmigo. Al reconocer ella abiertamente su ofensa, yo pude exponerle mi punto de vista y explicarle que la situación era totalmente distinta para mí y que yo la quería y trabajaba a gusto con ella. Finalmente proseguimos con la terapia, que más tarde culminó con éxito.

A menudo nos sentimos impotentes e indefensos cuando somos los causantes de la ofensa a otra persona. Sobre todo cuando no tenemos oportunidad de explicarle que no era nuestra intención ofenderla, porque ya no podemos hablar con el ofendido o él se niega a entablar un diálogo o no acepta disculpas. En ese caso, el problema ya no puede resolverse y nos sentimos solos y abandonados. Con frecuencia tardamos mucho en saber a qué atenernos con respecto a nosotros mismos, dejamos de hacernos reproches y nos reconciliamos con nosotros.

Las reacciones del ofensor

»   En el primer momento, el ofensor se asusta, se siente culpable y lamenta su comportamiento.

»   Si la otra persona reacciona ofendida, eso puede ofenderlo a usted a su vez, si usted no entiende su comportamiento, se siente incomprendido y rechazado, o herido en su punto vulnerable.

»   Para evitar que su interlocutor se sienta ofendido, envíele una disculpa o hágale ver sus buenas intenciones con antelación.

»   Si ofende a alguien sin darse cuenta, sentirá la necesidad de arreglar el asunto.

»   Si no tiene oportunidad de hacerlo, se quedará solo con su problema y puede pasar mucho tiempo hasta que vuelva a reconciliarse consigo mismo.

Qué puede ayudarlo

» Tómese un tiempo para alejarse, distánciese tanto como le resulte necesario.

» La distancia no significa ruptura de relaciones, sino una retirada, con la posibilidad de regresar.

» Durante ese tiempo esclarezca sus sentimientos, sus pensamientos y su reacción frente a ese interlocutor.

» Intente demostrar comprensión para consigo mismo y con el otro.

» Intente esclarecer qué ha herido a su interlocutor, cuánta culpa tiene usted en ello y qué malentendido puede haber eventualmente.

» A la inversa, esclarezca qué lo ha ofendido a usted y qué lo ha llevado a actuar como lo hizo.

Trampas de ofensa

Hay situaciones en las que ofendemos casi forzosamente, porque caemos en una trampa que nos ha tendido nuestro interlocutor. La primera vez no advertimos en absoluto estas denominadas trampas de ofensa, o lo hacemos muy difícilmente. Por regla general, la otra persona tampoco es consciente de ellas, y así surten efecto hasta que alguno las descubre, las comenta y deja al descubierto su falta de lógica.

Las cuatro trampas de ofensa más frecuentes son:

La primera trampa reza: «Hagas lo que hagas, estará mal hecho». Esta declaración, que se llama *double bind (Doppelbindung)*, doble vínculo o doble constreñimiento, deja claro que nunca ninguna de las dos personas queda satisfecha, tal como ilustra el siguiente ejemplo:

Una madre regala a su hijo dos camisas, una azul y una blanca. El hijo se prueba primero la blanca, y entonces la madre dice: «¿Qué, la azul no te gusta?» Habría reaccionado igual si el hijo se hubiera puesto primero la azul, él no podrá darle gusto nunca, pues, haga lo que haga, estará siempre mal hecho. Y ella se ofende porque tiene la sensación de que el hijo desprecia su regalo. Estos dobles vínculos o dobles constreñimientos pueden enloquecer a la gente, porque uno no logra defenderse y siempre es culpable. La consecuencia es que las dos personas están continuamente ofendidas y se sienten unas eternas fracasadas.

La segunda trampa de ofensa reza: «Lo que era válido ayer no tiene por qué seguir siendo válido hoy».

En el curso de una fiesta aún hay cosas que hacer en la cocina y toda ayuda es bienvenida. También la del amigo que se encuentra en la sala de estar. Pero la anfitriona rechaza su ayuda porque ya hay tres personas en la cocina y una cuarta sería demasiado para un espacio tan reducido. En la siguiente velada, una amiga se mantiene alejada de la cocina porque ya hay tres personas dentro. Pero la mirada cargada de reproches de la anfitriona la induce a pensar que no está bien no ayudar. Hoy la cocina tiene sitio para cuatro, ¿lo había usted adivinado?

La trampa consiste en que la amiga se atiene a una regla de ayer, que hoy ya no tiene validez, y por eso ofende a la anfitriona.

La tercera trampa de ofensa reza: «Si me quieres, sabes lo que necesito. Si no me lo das, lo haces a propósito y es una prueba de que no me quieres».

Quien piensa así parte del supuesto de que sabemos lo que el otro necesita y nos imputa falta de cariño si no satisfacemos su necesidad. No se le ocurre pensar que tal vez no tengamos la menor idea de lo que necesita. Así que ya estamos metidos en un lío, y si no paramos mientes, nos sentiremos culpables de la reacción de ofensa del otro, aunque no sepamos en absoluto por qué.

Una cuarta trampa es: «Hazlo bien, pero no te diré cómo». Sin embargo, si nadie nos dice qué está bien y qué está mal, no podremos seguir esta instrucción, sino sólo actuar según nuestra escala; si ésta se diferencia de la del otro, caeremos en la trampa de ofensa.

—No me llamaste por teléfono, pese a que me sentía tan mal —se queja Julia.

—No me dijiste que me necesitabas —replica Max.

—Podrías habértelo imaginado, después de lo que me ha sucedido.

Precisamente no: la clarividencia no forma parte del contacto cotidiano y no se le puede exigir a nadie.

¡Las trampas de ofensa...

» Hay trampas de ofensa en las que uno cae sin darse cuenta.

» Uno ofende cuando se comporta de manera distinta porque no conoce ciertos supuestos y reglas.

» También las imputaciones y las expectativas que no se analizan en profundidad pueden convertirse en trampas de ofensa.

... son evitables!

» Las trampas tienen solución cuando es lícito hablar de ellas y pueden ser llamadas trampas.

» No asuma ninguna responsabilidad si el otro se ofende cuando usted cae en una trampa.

» Pase la patata caliente.

» Deje claro que sólo puede hacer algo correcto si conoce las reglas.

Mido cada una de mis palabras

Cuando estamos con personas fácilmente susceptibles de ofenderse, intentamos en todo momento tratarlas con la máxima cautela para no herirlas inútilmente ni ofenderlas. ¿No conocemos todas las reacciones típicas de personas hipersensibles? Pensamos bien en lo que decimos, en qué tono, con qué palabras y en qué momento. Actuamos con suma cautela, nos ponemos guantes de terciopelo y cuidamos al otro para no provocar reacciones negativas.

No sé qué le ocurre a usted, pero a pesar de mi cautela, o tal vez debido a ella, yo caigo por lo general en las trampas de ofensa. Seguro que esto guarda relación con el hecho de que siendo tan cautos perdemos nuestra espontaneidad. Nos crispamos, no nos sentimos libres para comportarnos como quisiéramos, sino que nos controlamos mucho. Para no causar una nueva ofensa, preferimos decir sí a todo y ponemos al mal tiempo buena cara. Por lo general, no nos damos cuenta de que ahí puede estar ya el próximo conflicto de ofensa. Pues cuando trazamos nuestros límites con tanta cautela y nos ponemos totalmente en el lugar del otro olvidándonos de nosotros mismos, en algún momento nos sentiremos amargados y frustrados. Estos sentimientos no los manifestamos abiertamente, pero nuestro interlocutor se percata de ellos a través de gestos, comentarios hirientes o poco amables, y nerviosismo. Nuestra reacción puede incluso convertirse en enfado u odio ciego, por ejemplo cuando no notamos ningún cambio en el ofendido y caemos siempre en el papel del malo. En el fondo ya podemos hacer lo que queramos, aquello puede ser interpretado por nuestro interlocutor ofendido siempre como malignidad o mala intención por nuestra parte. Contra eso sólo ayuda una cosa: defenderse directamente y romper el círculo vicioso. De lo contrario, nada más nos queda la emigración interior, en la que si bien estamos presentes corporalmente, hemos abandonado hace ya tiempo nuestra participación emocional. Este comportamiento siempre es ofensivo, pero no resuelve el conflicto.

Mejorar el trato con...

» Si necesita guantes de terciopelo para tratar con alguien, es que hay algún fallo en la relación.

» Cuando teme una reacción negativa del otro, ya no se atreve a ser usted mismo.

» Si trata al otro con excesiva cautela, le está confiriendo demasiada importancia y se olvida de sí mismo.

» Si manifiesta indirectamente su enfado y frustración, puede ofender al otro.

... las personas hipersensibles

» Las balanzas para pesar oro son buenas para el oro, pero no para las palabras.

» Enuncie directamente el problema, y determine cuán difícil le resulta la relación con esa persona.

» Pregunte a su interlocutor qué le hace ser tan vulnerable y qué necesita.

» Atrévase a ser auténtico.

» Piense que usted es, como mínimo, igual de importante que su interlocutor.

El poder de los ofendidos

Las personas ofendidas pasan a ocupar el primer plano haciéndonos responsables de su ofensa. Nos tildan de ofensores, culpables de sus padecimientos, y sólo tienen en mente cosas malas. Por eso también nos exigen una reparación, pues al parecer les debemos algo. Con frecuencia nos prestamos demasiado tiempo a ese juego con la esperanza de solucionar así el conflicto. Si podemos demostrar que no teníamos malas intenciones, deberíamos no seguir representando el papel de ofensores. Pero lamentablemente no es así en muchos casos, todo lo contrario, somos confirmados en ese papel en cuanto lo asumimos.

De esta manera, la ofensa se convierte en un medio de poder con el cual somos manipulados para que nos comportemos como quieren los ofendidos. Nos hacen reproches, nos endilgan sentimientos de culpa y son una acusación viva y permanente. No se dan cuenta de que su comportamiento es ofensivo para nosotros. Se sienten con derecho a estar ofendidos. A veces hasta inician conscientemente sus reacciones de ofensa para ejercer presión y poder. Aquello puede llegar hasta la tiranía, contra la que cada vez nos será más difícil defendernos.

Una mujer me contó que su suegra llevaba años presionándola a ella y a su esposo haciéndose la ofendida. Nada le parecía nunca bien, se inmiscuía en todo, tenía algo que objetar a todo y se ofendía cuando las cosas no marchaban como ella quería. Para evitar pleitos en casa, la pareja se adaptaba, pero se sentía tiranizada por la pesadumbre, la susceptibilidad y los caprichos de la suegra. Sobre todo porque ésta se mostraba amable y abierta con los demás miembros de la familia y nadie entendía por qué ellos tenían esos problemas con ella. Y así los esposos se veían obligados a elegir entre continuar haciéndole el juego a la suegra y padecer por eso, o bien arriesgarse a provocar un es-

cándalo en la familia poniendo límites. En el peor de los casos
ponían en peligro incluso su herencia. Una situación al parecer
sin salida. Un cambio parecía casi inimaginable, porque el conflicto duraba ya varios decenios.

Las personas ofendidas pueden manipular
muy sutilmente a los demás.

El medio de los ofendidos para ejercer el poder

» Usted, como familiar, puede pasar a desempeñar el papel de los ofensores, a los que les imputan malas intenciones y hostilidad.

» Ya puede hacer lo que quiera, al final será siempre culpable.

» Con más comedimiento y adaptación no cambiará nada, sino que afianzará el conflicto.

» Por miedo a un enfrentamiento le hará el juego al otro demasiado tiempo.

Considérese importante

» ¿Qué pasaría si ya no se dejara manipular porque los otros se sienten ofendidos?

» El poder y la presión sólo pueden ejercerse si hay alguien que se aviene a ello.

» Rechace toda culpa que no sea suya.

» Exija a su interlocutor tanta responsabilidad como la que usted mismo esté dispuesto a asumir.

» No deje que lo sigan manipulando, aunque corra el riesgo de acabar involucrado en una discusión.

» Las personas que echan la culpa a otros necesitan límites claros para dejar de hacerlo.

Comportamiento ofensivo

Hay personas que ofenden a su interlocutor más a menudo que otras. Con frecuencia son personas descontentas y amargadas, que tienen poca capacidad de empatía con los demás y rápidamente se sienten menospreciadas. Sus ofensas pueden estar envueltas en ironía, chistes o desdenes evidentes y, en cualquier caso, son desagradables.

Si, por ejemplo, se cuentan chistes sexistas o degradantes para la mujer en una reunión donde las mujeres son minoría o incluso donde hay una sola mujer entre varios hombres, a ella le será casi imposible poner límites; si las mujeres se ríen con ellos, aunque no lo quieran, se negarán a sí mismas; si se defienden, serán tildadas de aguafiestas y carentes de humor. Lo único que ayuda es no tomárselo de forma personal y abandonar la reunión lo más pronto posible.

Las motivaciones para un comportamiento ofensivo son múltiples: envidia, celos y descontento, así como complejos de inferioridad, miedo o presunción. En cualquier caso, en el comportamiento ofensivo se ponen de manifiesto dificultades personales. Si no vemos esto, corremos el peligro de dirigir la ofensa contra nosotros de manera injustificada.

Por regla general, las personas que ofenden rivalizan y no se alegran del éxito de los demás. Tienen que menospreciar para sentirse mejor. Convencidas de que deben esforzarse más que los otros, buscan excesivamente reconocimiento. A menudo envidian de manera inconsciente a quienes todo les resulta más fácil y no se complican tanto la vida ni se exigen un nivel de perfección demasiado alto. Cuando desde fuera no se reconoce cuánto se esfuerzan y qué buenos son, reaccionan ofendidos. Y no creen que, a pesar de todo, otros aprecien su compromiso y respeten su rendimiento. «Resulta que yo me esfuerzo mucho y nadie lo ve» es su convicción.

Cuando las personas se ven presionadas a tener que demostrar cuán buenas son y creen ser sólo dignas de aprecio si son especiales, las cosas se vuelven extremadamente fatigantes para los demás. Pues no es muy agradable tener que elogiar continuamente y comentarlo todo sólo para demostrar que estamos atentos e interesados. En algún momento dejamos de hacerlo, con el riesgo de ser menospreciados por ello.

También los complejos de inferioridad pueden llevar a comportamientos ofensivos. Al menospreciar a otros se aumenta la propia valía y se compensa el complejo de inferioridad. Pero en general no se toma en consideración que esta cuenta no sale bien a la larga. Pues la propia inseguridad de sí mismo no se supera de este modo, sino que solamente se enmascara.

Las personas que ofenden crean por regla general una atmósfera desagradable, que perjudica las relaciones con los demás. O bien se encuentran con gente que dice sí y se adapta, o bien con gente que las rechaza. No se produce una comunicación sincera. Acaban discutiéndose con los demás o la gente se retira para protegerse y no resultar herida. Si estos problemas no pueden ser comentados de forma abierta, la relación se verá notablemente afectada o se romperá.

Características de las personas que ofenden

» Las personas que ofenden con frecuencia a otras suelen tener problemas consigo mismas.

» Las ofensas pueden ser manifestaciones de envidia, celos, rivalidad, miedo, complejos de inferioridad o superioridad, todo ello asociado a una escasa capacidad de empatía.

» Ante las personas que ofenden, los otros reaccionan adaptándose o rechazándolas.

» Un comportamiento ofensivo perturba o pone fin a las relaciones.

¿Cuál es la mejor manera de comportarse?

» Sea cauteloso en su trato con las personas que ofenden, pero sin dejar de respetarse a sí mismo.

» Con las personas que ofenden aprenda a no tomárselo todo de forma personal, sólo así se protegerá de manera efectiva.

» Trace sus límites, defiéndase directamente contra los menosprecios.

» Protéjase con ayuda del humor y distendiendo la situación.

» Dígales a las personas que ofenden que debido a su comportamiento hiriente usted pone fin a la relación.

El «ofensor» golpea a su «víctima»

Con las palabras «ofensor» y «víctima» se designan aquí papeles psicológicos en los que o bien las personas se sienten desvalidas en el papel de víctimas, o bien actúan como ofensores o causantes de la ofensa.

Por regla general, las ofensas vividas están vinculadas a una actitud de víctima, a un sentimiento de impotencia, resignación e inferioridad. La denominada víctima psicológica se define como alguien impotente e inferior al ofensor psicológico, aunque propiamente hablando no sea en absoluto tan débil e indefensa como se presenta. Esto es más una imputación que un hecho. Las personas que viven en una actitud de víctima semejante se ofenden más rápido que otras, pues eso forma parte implícitamente de este papel.

A toda víctima le corresponde un denominado ofensor, que es el malo y le hace daño. El que ofende es el ofensor; el ofendido, la víctima. Una fórmula simple que, sin embargo, no es cierta. Pues cada ofendido es responsable de asumir o no la ofensa. Echándole la culpa solamente al ofensor no se llega demasiado lejos, aunque en este juego el ofensor se proponga hacer daño a la víctima. Algo que sólo puede hacer porque la víctima se define como un ser indefenso.

Las víctimas parten del supuesto de que las otras personas dominan la situación, tienen más influencia, capacidad de decisión y competencia. Se sienten dependientes del juicio y el favor de los ofensores. En el fondo se ofenden permanentemente a sí mismas. Algo que sólo podrán superar mediante el reconocimiento que llegue de fuera; por eso buscan siempre elogios y muestras de afecto. Pero éste no es el único problema. La ofensa se produce cuando no hay respuestas positivas y ellos mismos no pueden pedirlas.

Si nos encontramos con una persona así, puede ocurrir que la ofendamos porque nos olvidamos de elogiarla y prestarle afecto y atención en la medida suficiente. Pero ¿qué significa en este caso suficiente? ¿Quién conoce la medida del otro? ¿Y es realmente tarea nuestra encontrar esa medida e incluso colmarla? Para permanecer fieles a nosotros mismos, ¿no tenemos acaso que ofender a alguien que espera de nosotros más de lo que estamos dispuestos a darle?

A Sieglinde le gustaba recibir amigos en su casa, cocinaba para ellos, los atendía generosamente y hacía todo lo posible para que se sintieran a gusto. Y algo que nunca hubiera admitido, pero que llevaba profundamente anclado en su corazón como deseo, era recibir reconocimiento y gratitud permanentes por sus esfuerzos. Si los invitados decían una sola vez, y no varias: «¡Mmm, esto está exquisito!», ella pensaba enseguida, preocupada, que la comida no le había quedado bien, lo cual, por supuesto, recaía negativamente sobre ella como cocinera. Y no sólo se reprochaba no cocinar demasiado bien, sino que también echaba en cara a sus amigos que le prestaban demasiada poca atención. Si luego, en el curso de una conversación, no lograba tomar muy a menudo la palabra porque una de sus amigas se colocaba siempre en primer plano, si otra hablaba de sus éxitos profesionales, y ella sentía envidia de los lujosos vestidos de las otras, podía suceder que la velada le resultara estresante y ella misma se sintiera ofendida.

Durante un rato podía guardar las apariencias, pero sus sonrisas eran cada vez más forzadas y su afabilidad menos auténtica. Interiormente padecía haciéndose reproches; y de cara al exterior, sus comentarios eran cada vez más hirientes y vulgares. Empezó a menospreciar a los demás, para quedar mejor ella. Si no paraba mientes, la velada podía terminar en una gran discusión. Las amigas no sabían que su comportamiento ofendía a

Sieglinde. Si ella les hubiera explicado qué pasaba, sus amigas lo habrían visto claro, pues se estaban divirtiendo mucho en la velada y les agradaba estar en casa de Sieglinde... ¿Quién podía entender que eso pudiera resultar ofensivo?

La actitud de víctima va unida a la sensación de ser un barril sin fondo. Eso significa que a esas personas se les puede dar mucho, pero jamás se sacian porque nada es nunca suficiente. Es lo mismo que ocurre con un barril sin fondo: podemos verter mucho líquido en él, pero siempre estará vacío porque todo vuelve a salir por debajo. La solución no consiste, pues, en continuar vertiendo cosas dentro, sino en poner un fondo que no deje escapar lo que vaya cayendo. Un fondo semejante lo constituyen el respeto a sí mismo y una autoestima positiva en la cual se apoye esa persona y con la cual se arma contra la envidia y los celos. Pues sólo cuando tenemos buena opinión de nosotros mismos, sólo cuando, para seguir con el ejemplo anterior, encontramos deliciosa nuestra comida y nos felicitamos por ella, podremos valorar el reconocimiento de los otros, en lugar de necesitarlo cada vez más.

La actitud de víctima

» La actitud de víctima va unida a un sentimiento de impotencia, resignación e inferioridad y convierte a otras personas en ofensores que, en apariencia, tienen más poder e influencia.

» Si a una persona que se siente inferior y poco valiosa uno no le da el reconocimiento y la confirmación suficientes, se sentirá ofendida. Y así podemos caer rápidamente en el papel del ofensor, sin darnos cuenta.

» Es difícil que las personas con escasa autoestima puedan aceptar cosas positivas y por eso necesitan cada vez más.

Su empatía

» No puede impedir las ofensas si el otro necesita cada vez más atención.

» No deje que lo conviertan en ofensor sólo porque ha brindado demasiado poco reconocimiento.

» Si conoce la sensibilidad de su interlocutor, podrá ajustarse a ella en cierta manera.

» Sea empático sin dejar de ser auténtico.

La venganza como compensación

La consecuencia de las ofensas son sentimientos de venganza o incluso actos de venganza que pueden ir desde pensamientos hasta la violencia pura y dura. Las fuentes de la venganza son la ira, el desprecio, el rencor y el deseo de herir al otro tanto como nosotros fuimos heridos. La ira destructiva de la ofensa es activada a propósito, porque el ofendido, en su decepción, quiere herir al otro, golpearlo y hacerle tanto daño como él mismo padeció. Y esta idea lo colma de satisfacción. No en vano se dice popularmente: «La venganza es dulce». La venganza da al ofendido la sensación de recuperar el control sobre la situación y sobre su ofensor. La venganza hace que la persona sea capaz de actuar y la saca de su rigidez. Al volverse agresivamente hacia fuera, piensa que es más poderosa, fuerte y que tiene más autoestima, y que así devuelve la agresión que ella misma recibió. Pero la venganza no resuelve el problema de la ofensa, sino que a menudo desemboca en un comportamiento violento que puede tener más consecuencias negativas.

También hay formas inconscientes de venganza. En lugar de atacar directamente al otro, lo vamos hiriendo con agresividad pasiva: nos olvidamos de acudir al lugar de encuentro pactado; le rompemos algo no intencionadamente; no le transmitimos una comunicación importante.

La agresividad pasiva es una forma inconsciente
de venganza.

Cabe preguntarse por qué la gente se venga con tanto apasionamiento. La mitología griega está llena de hechos sangrientos cometidos por venganza, y también en la literatura contemporánea podemos encontrar obras sobre el arte de vengarse con efectividad. Creo que la venganza constituye un intento de la compensación que necesitamos para elaborar una situación de ofensa. En la idea «Tú tienes que padecer lo mismo que yo» subyace el deseo de compensación. Pero una compensación con medios destructivos no conduce a la solución, algo que sí se puede conseguir buscando una compensación a través de medios positivos. Entonces la pregunta es: ¿Qué necesito yo del ofensor para abrirme a él y reconciliarme? Puede ser una disculpa seria, una muestra de afecto que salga del corazón, un ramo de flores o la oferta de lavar la vajilla durante medio año. Sea lo que sea, tendrá que servir para reconciliarnos con esa persona. A veces ya nos reconcilia incluso saber que existe ese deseo.

La necesidad narcisista básica que debe ser satisfecha por la compensación es la de ser vistos con nuestra herida. Aunque el ofensor no pueda comprender ni compartir nuestros sentimientos, ni saber cuánto dolor nos causa, nos ayuda su compasión y el hecho de ver que nuestro dolor puede existir y ser tomado en serio. «Lamento sinceramente que te sientas herido» es la frase que queremos escuchar y hace que nos reconciliemos.

La venganza destructiva

» La venganza es la rabia destructiva, iniciada intencionadamente y encaminada a hacer daño.

» A veces también nos vengamos de manera pasiva-agresiva.

» En la venganza uno quiere herir al otro tanto como uno mismo fue herido.

» La idea de que el otro debe padecer tanto como nosotros mismos nos colma de satisfacción.

» La venganza hace que la persona sea capaz de actuar y la saca de la rigidez que corre pareja con la ofensa recibida.

» La venganza es una forma de ofensa.

La compensación

» La fuente de la venganza es el deseo de compensación.

» Una compensación en sentido positivo ayuda a superar la ofensa y a limpiar la relación con el ofensor.

» Es importante la pregunta: ¿qué necesita uno del otro para volver a abrirse y estar dispuesto a una reconciliación?

» Lo que más le reconciliará es la comprensión que el otro demuestre por su herida.

La ofensa como provocación

Las ofensas también pueden ser hechas intencionadamente para provocar a otros, creándoles sentimientos de culpa y menospreciándolos. La arrogancia y la superioridad también tienen un efecto provocador. Sirven para empequeñecer al otro y ensalzarse a sí mismo. De manera provocadora pueden utilizarse también la crítica, el menosprecio, las inculpaciones, los reproches, los improperios y la humillación. El objetivo principal es que el interlocutor se sienta mal y por eso ora se resigne, ora se someta, ora pueda ser atacado por su comportamiento agresivo. Las ofensas provocadoras desencadenan por lo general emociones violentas que luego pueden ser interpretadas como debilidad.

No sólo en las relaciones entre dos personas, sino también en el ámbito político se utiliza este tipo de ataques como un medio eficaz para ridiculizar al adversario y hacer que se ponga de rodillas. Un ejemplo de ello son las declaraciones, a principios del siglo XXI, del secretario de Defensa estadounidense Rumfeld, que situaba a Alemania no sólo en la antigua Europa, sino también en el nivel de los países no democráticos. La manera más inteligente de enfrentarse a una provocación semejante es no tomarla demasiado en serio ni darle excesiva importancia. Pero resulta difícil, porque la indignación ante este tipo de declaraciones es, naturalmente, muy grande, así como el deseo de defenderse y justificarse. Y eso es precisamente lo que se espera. Si esta reacción no se produce, la provocación cae en el vacío y pierde intensidad y fuerza.

Algunas personas provocan a otras quitándose la vida o hiriéndose a sí mismas. A diferencia de la venganza, que va dirigida contra el otro, en este caso atentan contra ellas mismas, y no sólo porque se quieran hacer daño, sino también porque quieren herir al otro. Su mensaje no formulado reza: «Mira qué mal me has tratado que ahora tengo que hacerme daño, ¡y tú eres culpable!» Una provocación que raras veces queda sin efecto.

No aceptar...

» Las ofensas pueden ser hechas intencionadamente como provocación.

» Su objetivo es que el interlocutor se resigne, se someta o pueda ser atacado por su comportamiento agresivo, un medio eficaz para ridiculizar al adversario y hacer que se hinque de rodillas.

» También las autolesiones y el suicidio pueden perpetrarse con la intención de provocar y ofender a los parientes.

... la provocación

» No tome demasiado en serio una provocación ofensiva ni le dé excesiva importancia.

» Su deseo de defenderse y justificarse es, sin duda, grande, pero no debe satisfacerlo.

» Una provocación surte efecto únicamente si la aceptamos.

» Si la provocación no produce una reacción violenta, cae en el vacío y pierde fuerza e intensidad.

El trastorno por estrés postraumático

La actitud de víctima, el deseo de venganza y la autodestrucción como reacción a las ofensas son las principales características del denominado trastorno por estrés postraumático (TEPT Linden, 2003).

Describe un síntoma que se presenta después de situaciones traumáticas extraordinarias que ocurren en la vida. Cuando la gente vive el colapso de importantes concepciones básicas de la vida por la pérdida del puesto de trabajo, la infidelidad de la pareja o una separación, ello puede tener como consecuencia un trastorno por estrés postraumático. Esas personas se sienten indefensas y a merced de otras, viven su situación como injusta y denigrante, y no pueden defenderse eficazmente. La consecuencia es el desamparo, la resignación, la pertinacia en el papel de víctima y la autodestrucción. Todo esto tiene un carácter de llamada a los parientes y al entorno, para que adviertan cuán mal se procedió con ellos. Y puede terminar en suicidio o en suicidio ampliado (suicidio en combinación con el asesinato de otras personas).

A diferencia de lo que ocurre en la ofensa, los desencadenantes del trastorno por estrés postraumático son más intensos, y la capacidad de poner fin a la ofensa no resulta clara. Podría decirse que el trastorno por estrés postraumático es una ofensa cronificada, que se va afianzando en el curso del tiempo. Las personas que lo padecen no tienen ningún acceso a sus medios autocurativos ni a la conciencia de que pueden cambiar algo en su situación. El único alivio es la venganza, fuera de la cual no ven otra salida. La culpa la tienen los otros, a merced de los cuales se encuentran las víctimas de este trastorno, que se sienten totalmente indefensas. Como después de cualquier trauma, las situaciones negativas se van acumulando reiteradamente, los afectados sueñan con el acontecimiento y evitan los lugares y objetos que puedan traérselo a la memoria.

Estas situaciones se presentan a menudo, por ejemplo, después de una aventura extraconyugal. La convicción fundamental de que seremos siempre fieles, de que nada nos separará, de que algo así nunca nos ocurrirá a nosotros se ve truncada de un minuto a otro. Y se viene abajo un mundo que hasta entonces se había mantenido firme. La confianza se pierde por completo y el miembro de la pareja engañado o abandonado no encuentra paz durante años. Piensa y vuelve a pensar una y otra vez en la situación, se tortura evocando todos los detalles de lo que ocurrió entonces, lo que él dijo, lo que el otro respondió, cómo se comportaron, etc. También acuden a su mente, y lo agobian forzosamente, una serie de reflexiones sobre cómo hubiera podido impedir ese engaño, en qué hubiera podido distinguir indicios de él, qué hubiera podido hacer mejor. Se echa la culpa de lo acontecido, pero también siente un intenso odio hacia la pareja. Los lugares, los coches, la ropa, las estaciones del año, las canciones y todo cuanto de algún modo guarde relación con el asunto reavivan enseguida el trauma, la cadena de pensamientos y el autodesgarramiento interior.

Sólo puede producirse un cambio cuando esas personas reciben ayuda y se dan cuenta de que no están tan a merced de los otros, sino que pueden cambiar su situación. Deberían preguntarse: «¿Quiero perjudicarme y destruir el resto de mi vida?»

Si la respuesta es «no», tiene verdaderas oportunidades. Un cambio supone, sin embargo, una verificación y, eventualmente, una modificación de sus concepciones básicas de la realidad. Y cambiar la obstinación y el deseo de tener razón a toda costa por la serenidad: aceptar lo que no se pueda cambiar, y cambiar todo aquello que esté en su mano.

Deshacerse del trastorno por estrés postraumático

>> Lo que le ha ocurrido es malo, aunque renuncie a su estatus de víctima.

>> Puede buscar ayuda.

>> La venganza, el autodesgarramiento y el querer-tener-razón refuerzan el trastorno por estrés postraumático.

>> Aprenda a ejercer influencia sobre su vida, porque usted es el forjador de su dicha o su desdicha.

ENFRENTARSE A LAS OFENSAS

CON SERENIDAD

Enfrentarse con serenidad a las ofensas es el objetivo declarado, porque constituye la mejor protección contra sentimientos desagradables y la opacidad de nuestra propia imagen.

Los siguientes pasos sirven para superar sin perjuicios situaciones de ofensa.

1. Confiésese a sí mismo la ofensa

En el momento en que se siente ofendido, resulta útil admitir ese dolor psíquico, en vez de silenciarlo o intentar ocultarlo. ¿Por qué es importante? Porque de esa manera se toma en serio y acepta sus sentimientos y su percepción. Sólo cuando lo hace, defiende su propia causa, se apoya a sí mismo y deja libre la vía para soluciones apropiadas, que puedan satisfacerlo. Si niega, en cambio, que un rechazo lo ha ofendido, tendrá que negar también todos los sentimientos vinculados a él. Pero los sentimientos negados siguen ejerciendo su efecto y tal vez incluso se dirijan contra usted.

Imagínese, por ejemplo, que se siente rebajado por su jefe, que ha enviado en viaje de negocios a un colega suyo y no a usted. Finge que no le importa nada, aunque en su interior hierva un caldo de ira, tristeza, decepción y sentimiento de injusticia. Entonces regresa a casa y encuentra que sus hijos lo han puesto todo patas arriba, algo que siempre ocurre, pero ese día ya es demasiado. Les ordena en tono enérgico que pongan todo otra vez en orden y no se alegra en absoluto de verlos después de una larga jornada de trabajo. Ahora cada uno podría hacer a su alrededor algo que lo saque de sus casillas. En esa situación, nadie puede hacer ya nada que lo satisfaga. Irreconciliable y emocionalmente perturbado, inasequible para los demás, se queda a solas con su ofensa. Y encima se queja a su esposa de que usted no le importa mucho, lo que ella entiende como un reproche del cual se defiende. Y ya está usted prisionero en un círculo vicioso que sólo puede romperse si habla sobre su decepción y la acepta. Sólo entonces su esposa podrá ayudarlo de nuevo.

2. «¿Qué puedo hacer YO por mí?»

En el segundo paso se pregunta qué puede hacer por usted. Pues quedarse atascado en un sentimiento de ofensa es precisamente lo que ya no quiere. Tiene, pues, que hacer algo que lo ayude a salir de la ofensa.

Por regla general, comenzamos por menospreciarnos y dar la razón al ofensor. También nos autodefinimos como menos dignos de ser queridos, o como incompetentes, y de esta manera reforzamos el desagradable sentimiento de ofensa. En el peor de los casos, el asunto termina en un trastorno por estrés postraumático.

Asimismo, podemos aplicar una serie de métodos para evitar sentirnos mejor. Una manera rápida de cambiar nuestro estado emocional es ingiriendo alcohol o tranquilizantes para salir de la situación desagradable. Pero los tranquilizantes sólo nos proporcionan cierta calma, sin cambiar absolutamente nada.

Cierto es que surten un efecto provisional, pero hay que consumirlos permanentemente para neutralizar la realidad.

Y en algún momento ya no basta con una pastilla tranquilizante, sino que es preciso tomar cinco. Evadirse con Internet también aporta solamente un alivio pasajero, mas no una verdadera satisfacción.

El motivo radica en la situación psíquica que subyace en las ofensas. Nos sentimos menospreciados, sin importancia, abandonados, incomprendidos y totalmente a merced del ofensor. Si el otro no nos rechazara tanto, nos iría mejor. Por eso, de manera consciente o inconsciente, buscamos la solución fuera: en las drogas, en los dulces, en los tranquilizantes, en la distracción o en el afecto del ofensor.

Precisamente aquí podemos empezar, no podemos esperar la solución de fuera, porque tal vez nunca llegará. Sobre todo cuando el otro no sabe que nos sentimos ofendidos. ¿Cómo podría, en ese caso, ayudarnos? Por eso debemos salir del pantano de la ofensa por nuestros propios medios. Y la forma de hacerlo es poniendo en práctica las siguientes recomendaciones.

3. Respiración consciente

Cuando experimenta una situación de ofensa, por lo general se queda sin aliento. Contiene la respiración e intenta dominar de esa manera la situación. Pero eso disminuye sus fuerzas y limita sus posibilidades de acción.

Así pues, empiece la superación de cualquier situación de ofensa respirando de modo consciente. Respire mucho aire. Inhale y exhale profundamente varias veces. Así vuelve a tomar conciencia de sí mismo, se calma y se vigoriza. Éstos son supuestos necesarios para enfrentar ataques o rechazos que vengan de fuera. Y así se distancia usted de su desamparo.

Las distintas técnicas de meditación describen qué efecto tan positivo tiene la respiración.

«Inhalar y exhalar conscientemente lo ayudará a alcanzar el mejor estado —calma, ligereza, estabilidad, claridad y libertad— [...], será capaz de considerar el momento actual como el mejor de la vida», escribe el maestro de Zen vietnamita Thich Nhat Hanh.

He aquí dos ejercicios de respiración con los que, según Thich Nhat Hanh, puede fortalecerse:

1. *Inhale y exhale aire con regularidad, y dígase las siguientes palabras:*
   Yo inhalo, yo exhalo.
   Al inhalar regalo paz a mi cuerpo.
   Al exhalar sonrío.
   Permanezco en el momento actual y sé que es un momento maravilloso.

2. *Respiración circular*
   Inhale aire profundamente y luego exhale. Relájese e inhale y exhale de forma regular. Imagínese que la respiración es como círculos concéntricos y que cada aliento fluye regularmente en el siguiente sin pausa alguna. Tómese treinta segundos para cerrar los ojos y luego repita el ciclo. Observe qué efectos tiene esta «respiración circular» en su cuerpo y en su espíritu.
   Si practica a menudo estos ejercicios, más pronto podrá utilizar la respiración circular en la situación de ofensa. Y se fortalecerá interiormente, lo cual es la mejor protección contra las ofensas. Cuanto más esté consigo mismo, cuanto

más intensamente se experimente, más raras veces se sentirá ofendido y más breves serán las fases de la ofensa.

4. Movimiento

El movimiento, en combinación con la respiración, le permite superar la rigidez psíquica y corporal, que le hace imposible actuar teniendo en mente un objetivo. Su cuerpo, al igual que su espíritu, se pone rígido en una situación de ofensa. Su movilidad interior y exterior deja de funcionar y usted queda conectado sólo a la reacción en caso de necesidad. La capacidad de reacción es, por cierto, muy positiva si existe algún peligro, porque en el cuerpo se ponen en alerta todas las funciones que lo preparan para el ataque o la huida, pero a la larga puede producir daños corporales si no se la limita. La excesiva secreción de adrenalina puede provocar un aumento de la tensión arterial y de las pulsaciones cardíacas, tensiones musculares y respiración dificultosa. En el ámbito psíquico, el estrés permanente se pone de manifiesto en nerviosismo, irritabilidad y una inestabilidad psíquica que puede llegar al colapso.

Si los sentimientos de ofensa no se solucionan ni se anulan, pueden dejar no sólo perjuicios psíquicos duraderos, sino también enfermedades físicas, pues las ofensas pueden hacer que la gente enferme.

El movimiento brinda la posibilidad de anular las consecuencias físicas del estrés, ya sea limpiando ventanas, paseando en bicicleta, caminando, practicando cualquier deporte y muchas otras cosas. Lo fundamental es que se reduzca la tensión.

5. Cree distancia

Las situaciones de ofensa terminan por lo general con una ruptura interior o exterior de la relación («Con ese/esa ya no quiero tener nada que ver»), lo que genera cadáveres de ofensa y un sentimiento de ofensa permanente en el tiempo.

Una alternativa a la ruptura de la relación es la distancia. Eso significa que usted abandona la situación de ofensa con la opción de regresar. No tiene, pues, que romper la relación, sino que puede encontrar claridad en la distancia. De ese modo evita una escalada en las disputas, que no pocas veces culmina en una discusión violenta y destructiva.

Sobre todo en las relaciones privadas, el distanciamiento ayuda mucho a evitar hostilidades innecesarias, perjudiciales para todos. Cada palabra hiriente que se lanza a la cara del otro en un momento de ira va dejando una huella, aunque uno se disculpe más tarde. Lo dicho ya no puede anularse. De esa manera las relaciones se van debilitando y se rompen.

«Se han echado a perder tantas cosas en los últimos años, ya no sé si todavía lo amo», me dijo una paciente hace poco.

Una y otra vez, esta mujer se separaba de su pareja, porque él se sentía ofendido por el comportamiento o las palabras de ella, que a su vez era castigada por él con desprecio; cuando no era «sincera», era hostilizada y criticada. Ella aguantó largo tiempo todo eso, al principio ni siquiera notaba hasta qué punto él la hería. Ahora ha aprendido a poner límites y evitar las discusiones entre ellos, retirándose para protegerse de ataques. En la distancia puede tranquilizarse y averiguar qué parte de responsabilidad tienen uno y otro en todo el asunto. De esa manera evita cargar con una culpa que no le corresponde, lo cual la saca de la posición de inferioridad y refuerza su autoestima.

6. ¿Qué necesidades han quedado insatisfechas?

Pregúntese: ¿Qué quiero conseguir? ¿Qué necesito del otro? Busque vías para lograrlo.

Si, por ejemplo, se ofende porque una cita fue anulada, usted se quejará y se enfadará con la otra persona. Pero ¿cuál es su necesidad? Desde luego no es no tener ya nada más que ver con el otro, sino todo lo contrario. Desea continuar su relación, si no, la anulación de la cita no le importaría nada. Busque, pues, posibilidades de reanudar esa relación, no lo conseguirá estando ofendido.

7. Aclare sus sentimientos, pensamientos y reacciones

Para superar las ofensas es necesario identificar los sentimientos auténticos, no menospreciarse a sí mismo ni comportarse destructivamente. Pregúntese:

- ¿Cómo me va? ¿Qué siento? ¿Estoy triste, furioso, atemorizado o avergonzado? ¿Tomo estos sentimientos en serio o intento soslayarlos?

  No rehúya experimentar estos sentimientos.

  Si, por ejemplo, está triste, deje que las lágrimas afloren a sus ojos. Es doloroso ser rechazado, y tampoco debe permitirse sentir eso.
- ¿Qué pienso sobre mí y el otro? Tal vez se reproche: «He vuelto a hacer algo mal. Soy culpable y no merezco otra cosa».

  O bien empiece a satanizar al otro: «¡Quien me hace un daño semejante, para mí está muerto!»

Deje de menospreciarse a sí mismo y al otro, y recuerde sus propios atributos positivos y aquello que le agrada en el otro.

- ¿Cómo reacciono ante el otro? Ni insultar, ni dar portazos, ni caer en la depresión solucionan la situación de ofensa. Permanezca tranquilo y dueño de sí mismo.

8. La venganza por lo general no es dulce

«Para vengarse de los automovilistas desconsiderados, un ciclista furioso agujereó en Bournemouth, Reino Unido, dos mil neumáticos de coches por un valor de 350.000 euros, según informó el periódico británico *The Times*. Un hombre de treinta y siete años, sin trabajo, se enfadó porque un automovilista lo empapó al pasar con excesiva velocidad por un charco. Tras lo cual, el individuo decidió vengarse, y con un destornillador puntiagudo ¡agujereó los neumáticos de más de 550 vehículos aparcados!»

Esta noticia, reproducida por el periódico alemán *Süddeutsche Zeitung* el 26 de marzo del 2004 muestra que en este caso no hay ningún rastro de tranquilidad, sino más bien de venganza: el ciclista quiere perjudicar a los otros tanto como él mismo se sintió perjudicado. Sin embargo, nada positivo ha obtenido de su acción. Todo lo contrario, ahora lo amenaza un castigo.

Cuando crea que la venganza no es evitable, deberá limitarse a fantasías y no llevarlas a la práctica para no perjudicarse a sí mismo con el comportamiento vengativo.

9. Comunicar el enfado

Detrás del deseo de venganza están con frecuencia la ira y el enfado. Son sentimientos totalmente justificados cuando nos sentimos menospreciados. Comunicar de manera constructiva estos sentimientos pone límites, detiene el comportamiento ofensivo del otro y lo protege contra nuevos ataques.

10. Desactive el conflicto

Mediante la comunicación constructiva de su enfado y el establecimiento de límites se mantiene la relación con el otro y el conflicto se desactiva. Algo muy recomendable en los conflictos de ofensa, que tienden a agravarse gradualmente. Evitar esto es un paso esencial para superar serenamente las ofensas.

11. Evitar los juegos psicológicos

—¡Has vuelto a dejar abierto el portón del garaje, cuántas veces debo decirte que tienes que cerrarlo con llave! ¡Dios mío, todo tiene que ser siempre como tú quieres que sea!

Se oye un fuerte portazo. Llama a su amiga por teléfono:

—Ahora mismo hemos vuelto a pelearnos, pero es tan testarudo y lo sabe todo mejor que los demás.

—La verdad es que no sé cómo lo aguantas tanto tiempo. Eso no hace sino ponerte nerviosa. Yo lo hubiera mandado a paseo hace tiempo.

Estos juegos llamados del ofensor, la víctima y el socorrista, elementos que forman una especie de triángulo dramático, están hechos de acusaciones, reproches tú-siempre-nunca e inculpaciones mutuas, y dejan malos sentimientos, pero no solucionan ningún problema. Por el contrario, los aumentan y hacen que todo sea aún peor.

Una comunicación libre de ofensas sería:

—Repetidas veces te he pedido que cierres con llave el portón del garaje, ¿puedes explicarme por qué no lo haces?

—Ahora no, por favor, he tenido mucho estrés y primero quisiera tranquilizarme. Más tarde hablaremos de eso.

Con la amiga se pueden comentar ahora cosas agradables por teléfono, ella ya no tiene por qué aceptar el papel de «socorrista» de la presunta víctima en el triángulo ya mencionado

12. Sinceridad

En lugar de terminar en el triángulo dramático, comuníquele al otro qué desea de él. Cuanto más sincero sea consigo mismo y con el otro, antes encontrará una buena solución.

Manifieste sinceramente qué desea y qué no desea, en lugar de esperar a que el otro se lo diga y decepcionarse si no lo hace. Esta actitud es la mejor vía para sentirse ofendido. A quienes quieran involucrarlo todo el tiempo en juegos de víctima-ofensor-socorrista, puede decirles claramente que no tiene ningún interés en ellos. «No» es una respuesta contundente, que descarga y pone límites. Un «no» claro no destruye la relación, sino que la esclarece.

13. Buscar apoyo

Búsquese una tercera persona neutra y comunique sus sentimientos bajo la protección y el amparo del otro. El solo hecho de comunicar la ofensa tiene un efecto lenitivo. Y la mirada de una persona no afectada puede ser útil para comprender mejor la reacción del ofensor. Pero eso se consigue solamente cuando la persona que ayuda no está involucrada en el triángulo dramático.

14. Relativizar lo ocurrido

Desdramatice la situación preguntándose qué es lo malo en la ofensa. «¿Cuál es el problema?, ¿qué ha ocurrido realmente?» Entonces tal vez advierta que, si bien es una situación dolorosa, tampoco va a acabar matándolo. De ese modo crea distancia frente a lo acontecido, con lo cual le resultará más fácil actuar serenamente.

15. Proteger el punto vulnerable

Sea consciente de que la reacción de ofensa le parece tan mala y tan violenta porque hiere su punto vulnerable. Usted se protege distinguiendo activamente la situación actual de la anterior. Si además elabora sus viejas decepciones y cura sus puntos vulnerables, se estará armando frente a nuevas ofensas.

16. Aceptar la responsabilidad

Acepte la responsabilidad de sus sentimientos y su situación. No es el otro quien determina cómo se siente usted , sino usted mismo. Usted decide qué lo ofende y si está ofendido. ¡No el otro!

17. No tomárselo todo de forma personal

Cierto es que usted es una persona importante, pero no todo lo que ocurre tiene que ver con usted. De modo que compruebe primero si el comportamiento del otro es realmente una reacción ante usted o no. Si usted no se lo toma todo de forma personal, será mucho más raramente ofendido.

Estaba al borde de la piscina y escuché que una mujer le decía a otra: «Hoy viene gente a nuestra piscina que no paga entrada». Me miró de soslayo y comprendí que se estaba refiriendo a mí, ¿qué podía hacer? ¿Ofenderme porque me sentía injustamente denigrada? ¿Justificarme porque yo jamás haría algo semejante? ¿Volver a casa enfadada y renunciar a mi baño? No dije absolutamente nada, me metí en la piscina y saludé amablemente cuando la mujer se me acercó nadando. Nunca llegamos a ser amigas, pero no nos molestábamos la una a la otra.

18. Reforzar la autoestima

Refuerce su autoestima no menospreciándose y dirigiendo de manera consciente la mirada hacia lo que es positivo en usted. Y déjele el problema al otro. La bañista del ejemplo anterior tenía el problema de que cada vez venían más extraños a «su» refugio, algo que hasta yo puedo compartir. Pero ése no era mi problema, de modo que no debía sentirme mal. Cuanto más nos apoyamos y nos tomamos en serio, más nos armamos contra las ofensas. Porque éstas a menudo empiezan en el punto en que nos sentimos menospreciados o culpables.

19. Ver la crítica como un regalo

Cuanto mayor sea su autoestima, más fácil le resultará aprender con los comentarios negativos y críticas, en lugar de apartarse ofendido.

20. Poner a salvo los cadáveres de ofensa

Esclarezca las antiguas ofensas, pues solamente así se liberará de los «cadáveres de ofensa» que guarda en el sótano. No son sino una carga para usted.

21. Esclarecer las ofensas

Si alguien se siente ofendido por usted, esclarezca qué ha ofendido a su interlocutor, cuánto de culpa tiene usted, qué malentendido se ha producido. Hable con la otra persona. Seguro que aceptará complacida el puente que usted le tienda.

Esclarezca asimismo qué le ofendió y cuál fue su motivación para actuar como lo hizo.

22. Asumir el papel del otro

Para superar más fácilmente el estar ofendido es aconsejable ponerse en la situación del ofensor. Así descubrirá por qué él se comportó de esa manera y no de otra. Posiblemente usted hubiera hecho lo mismo. Y se dará cuenta de que la reacción del otro no tiene absolutamente nada que ver con usted —o sólo de manera parcial—. ¡No hay, pues, ningún motivo para relacionar negativamente consigo mismo el comportamiento del otro y sentirse ofendido!

Un día vino a mi consulta una paciente con mucho rencor y una gran herida psíquica, porque después de una entrevista para conseguir un puesto de trabajo no la habían aceptado, de lo que responsabilizó a la jefa de personal, puesto que ésta le había hecho la entrevista. Le pedí que recreara un diálogo con ella. Primero le dijo todo lo que le disgustaba y descargó su enfado. Luego se sentó en la silla de la jefa de personal y empezó a hablar como ella. Y se dio cuenta de que ésta no tenía absolutamente nada contra ella, sino que ella misma tenía un problema de decisión. Sintió su simpatía y, al mismo tiempo, la negativa a contratarla. Pero no porque no sirviera para nada, sino porque la creía capaz de más cosas de las que requería ese puesto de trabajo.

Esto reconcilió a mi paciente, que pudo superar su ofensa, aunque siguió estando un poco triste por no haber conseguido el trabajo.

23. No dejarse manipular

No se deje presionar porque el otro esté ofendido, ni se sienta obligado a ser diferente y a hacerlo todo mejor. Nunca conseguirá hacerlo todo debidamente, pues quien desee acusarlo, encontrará siempre algún motivo. Cuanto más intente contentar al otro y no ofenderlo, menos lo conseguirá. Ésta es una ley no escrita.

24. Reconciliación y paz

El objetivo de la superación de las ofensas es la reconciliación y la paz. Y solamente lo logrará si demuestra comprensión hacia sí y hacia los demás y deja de luchar por tener razón o querer-ser-mejor. La paz consigo mismo y con el otro supone aceptar a éste tal como es, no esperar nada que él/ella no pueda darle y reclamar el mismo trato para sí mismo.

25. Serenidad

La serenidad es el contrario exacto de la ofensa. Cuando estamos serenos, no «mordemos clavando los colmillos» en el otro, sino que buscamos la mejor solución posible. En la serenidad no necesitamos satanizar al otro y podemos seguir siendo como somos. Así evitamos problemas y encontramos el equilibrio interior.

Que Dios me dé la serenidad
para aceptar las cosas que no puedo cambiar,
el valor para cambiar las cosas que puedo cambiar
y la sabiduría para distinguir lo uno de lo otro.

Que Dios me dé paciencia con los cambios que
requieren su tiempo,
y capacidad para valorar todo cuanto tengo,
tolerancia frente a quienes tienen otras dificultades,
y la fuerza para levantarme e intentarlo de nuevo,
solamente por hoy.

FRIEDRICH CHRISTOPH OETINGER, 1702-1782.

¿A qué tipo de personalidad ofendida pertenece usted?

Así reacciono habitualmente a las ofensas:

- ❯❯ Reacciono indignándome muy rápidamente — 1
- ❯❯ Pienso una y otra vez en la situación y en la injusticia padecida — 0
- ❯❯ Dudo de mí cuando otros me tratan mal — 0
- ❯❯ Bien merecido lo tengo — 0
- ❯❯ Me gustaría vengarme y hacerle también daño al otro — 1
- ❯❯ No quiero ver nunca más a esa persona — 1
- ❯❯ Seguro que el otro tiene razón — 0
- ❯❯ A veces llego a las manos — 1
- ❯❯ Lo que más me gustaría es esconderme — 0
- ❯❯ Eso confirma de nuevo mi sentimiento de que nadie me quiere — 0

>> Quien no me quiere, es el mismo culpable   1

>> Me avergüenzo mucho   0

>> Si hubiera reaccionado de otra manera, todo
estaría bien   0

>> Soy muy vengativo   1

>> ¿Cómo me pueden hacer eso?   1

>> Desprecio a esa persona   1

>> Me lo merezco   0

>> ¿Qué se ha creído ése?   1

>> Soy muy sensible y me afecta mucho que alguien
me trate así   0

>> ¿Por qué tiene que pasarme siempre algo así?   0

>> El otro no ve a quién tiene delante   1

>> Prefiero no decir nada a que me critiquen   0

>> Los otros son incompetentes y no tienen
la menor idea   1

>> Siento que no valgo nada   0

>> Lucho por mi posición   1

Como no se trata aquí de un test científico, sino de una lista de preguntas, de la valoración tampoco podemos sacar evaluaciones definitivas, sino sólo indicar tendencias.

Cuantos más puntos tenga, más pertenecerá usted al tipo de personalidad de ofensa agresiva, que dirige su ira hacia fuera, más bien hiere a otros y raras veces cede y se somete.

Cuanto menor sea la puntuación, más tenderá usted a ser el tipo de personalidad de ofensa depresiva, que reacciona haciéndose reproches, se avergüenza, se siente inferior y más bien dirige la agresión contra sí mismo.

Bibliografía

Asper, Kathrin: *Verlassenheit und Selbstentfremdung. Neue Zugänge zum therapeutischen Verständnis,* Walter-Verlag, Olten, 1997

Berckhan, Barbara: *Jetzt reicht's mir. Wie Sie Kritik austeilen und einstecken können,* Kösel, Múnich, 3.ª edición, 2012
Cómo defenderse de ataques verbales, RBA, Barcelona, 2004

Branden, Nathaniel: *Die 6 Säulen des Selbstwertgefühls. Erfolgreich und zufrieden durch ein starkes Selbst,* Piper, Múnich, 2.ª edición, 2011
Los seis pilares de la autoestima, Paidós, Barcelona, 2007

Buber, Martin: *Das dialogische Prinzip. Ich und Du. Zwiesprache. Die Frage an den Einzelnen. Elemente des Zwischenmenschlichen. Zur Geschichte des dialogischen Prinzips,* Gütersloher Verlagshaus, Gütersloh, 10.ª edición, 2006

Eichenbaum, Luise/Orbach, Susie: *Bitter und süß. Frauenfeindschaft – Frauenfreundschaft,* Econ, Düsseldorf, 1996

Heim, Vera/Lindemann, Gabriele: *Erfolgsfaktor Menschlichkeit. Wertschätzend führen - wirksam kommunizieren,* Ein Praxis- Handbuch, Junfermann, Paderborn, 2010

Heim, Vera/Lindemann, Gabriele: *Erfolgsfaktor Menschlichkeit. Wertschätzendführen - wirksam kommunizieren,* Ein Praxishörbuch (3 CDs, 202 Min.), Junfermann, Paderborn, 2011

Hirigoyen, Marie-France: *Die Masken der Niedertracht. Seelische Gewalt im Alltag und wie man sich dagegen wehren kann,* dtv, Múnich, 2002

Köster, Rudolf: *Was kränkt, macht krank. Seelische Verletzungen erkennen und vermeiden,* Herder, Freiburg, 2000

Kraiker, Christoph: *Die Fabel von den drei Kränkungen.* En: *Hypnose und Kognition 1994,* Tomo 11, H.1 y 2

Linden, Michael: *Posttraumatic Embitterment Disorder.* En: *Psychotherapy and Psychosomatics,* 2003, 72, pp. 195-202

Lückel, Kurt: *Kränkung hat Geschichte*. En: *Wege zum Menschen*, Año 35 H.1 20-27, Vandenhoeck & Ruprecht, Göttingen, 1983

Miner, Valerie; Longino, Helen (Editoras): *Konkurrenz. Ein Tabu unter Frauen*, Verlag Frauenoffensive, Múnich, 2002

Müller-Luckmann, Elisabeth: *Die große Kränkung. Wenn Liebe ins Leere fällt*, Rowohlt, Hamburg, 1998

Öberdieck, Hartmut/Steiner, Claude/Michel, Gabriele: *Die Kunst, sich miteinander wohl zu fühlen. Emotionale Kompetenz in Familie und Partnerschaft*, Herder, Freiburg, 2004

Radetzky, Regina: *Zum Merkmal der Kränkung im Zivilrecht*. En: Haselbeck, Helmut et al.: *Kränkung, Angst und Kreativität*. Integrative Psychiatrie, Innsbruck, 1996

Ranke-Graves, Robert, von: *Griechische Mythologie. Quellen und Deutung*. Rowohlt, Hamburg, 18.ª edición, 1984

Los mitos griegos, Alianza Editorial, Madrid, 1992

Rosenberg, Marshall B.: *Gewaltfreie Kommunikation. Eine Sprache des Lebens*, Junfermann, Paderborn, 9.ª edición, 2007

Singer, Kurt: *Kränkung und Kranksein. Psychosomatik als Weg zur Selbstwahrnehmung*, Piper, Múnich, 3.ª edición, 2000

Thich Nhat Hanh: *Ein Lotus erblüht im Herzen. Die Kunst des achtsamen Lebens*, Goldmann, Múnich, 1995

El sol, mi corazón: vivir conscientemente, Dharma, Valencia, 2000

Wardetzki, Bärbel: *Weiblicher Narzissmus. Der Hunger nach Anerkennung*, Kösel, Múnich, 23.ª edición, 2011

Wardetzki, Bärbel: *Ohrfeige für die Seele. Wie wir mit Kränkung und Zurückweisung besser umgehen können*, Kösel, Múnich, 9.ª edición, 2007

Wardetzki, Bärbel: *Mich kränkt so schnell keiner! Wie wir lernen, nicht alles persönlich zu nehmen*, dtv, Múnich, 2005

Wardetzki, Bärbel: *Kränkung am Arbeitsplatz. Strategien gegen Missachtung, Gerede und Mobbing*, dtv, München 2012

Weakland, John H.: *«Double-Bind»-Hypothese und Dreier-Beziehung*. En: Bateson y cols.: *Schizophrenie und Familie*, Suhrkamp, Frankfurt, 1974, pp. 221-222